LITERATURW

Wie inte... einen Film?

Für die Sekundarstufe II

Von
Peter Beicken

Maryland, Dez. 04

Pete Brown,
mit guten Wünschen
zum gemeinsamen
Interesse am Film,
herzlich
Pete Beicken

Philipp Reclam jun. Stuttgart

Mit 66 Filmbildbeispielen

Universal-Bibliothek Nr. 15227
Alle Rechte vorbehalten
© 2004 Philipp Reclam jun. GmbH & Co., Stuttgart
Umschlagabbildung: Charles Chaplin, Jackie Coogan in *The Kid*
Geasmtherstellung: Reclam, Ditzingen. Printed in Germany 2004
RECLAM und UNIVERSAL-BIBLIOTHEK sind eingetragene Marken
der Philipp Reclam jun. GmbH & Co., Stuttgart
ISBN 3-15-015227-5

www.reclam.de

Inhalt

1. Vorwort

Ziel dieses Buches ist, in die Analyse und Interpretation von Filmen einzuführen, um dem Seherlebnis Film und Kino zu tieferem Verständnis und Erkennen des Schaulust-Objekts zu verhelfen. Für Filminteressierte stellt sich in der alltäglichen Praxis des Sehens und Verstehenwollens die Frage: Wie interpretiert man einen Film? Zu antworten ist im Hinblick auf die durchaus komplexe Fragestellung mit zweierlei: Umfassende Analyse, die zu kritischem Verstehen führt, macht Interpretation aus. Analyse als methodisch abgesicherte Untersuchung ist eine Grundbedingung des Verstehens von Film, auch als Medienprodukt. Aus dem Methodenspektrum sind solche Annäherungen zu koordinieren, die für die Interpretation geeignet sind. Eine beabsichtigte Gesamtinterpretation kann sich nicht auf eine bloß werk- und inhaltsbezogene Annäherung und Beurteilung beschränken, weil der jeweilige Werk-Kontext einzubeziehen ist. Zusammen mit der Analyse, die sich auf Inhalt, Filmelemente, Filmform und Genrefrage konzentriert, müssen für das Verstehen auch kontextuelle Bedingungen einbezogen werden, wie z.B. Person, Leben und Filmschaffen des Regisseurs, produktions- und filmgeschichtliche Bedingungen und die Aspekte der sozialen, politischen und zeitgeschichtlichen Situation, die einen Film historisch verankern und in die Interpretation produktiv integriert werden müssen.

Helmut Käutners *Unter den Brücken* (1944), während der Nazizeit gegen Ende des Zweiten Weltkrieges in der Flusslandschaft um Berlin entstanden, ist ein Film, der die zeitgeschichtliche Kriegssituation ausspart, um eine Dreiecksgeschichte zwischen zwei Männern und einer Frau als ein Epos von den Spannungen der Liebe darzustellen. Nach 1945 als Beispiel des »anderen Deutschland« (Schneider, 127) oder gar als »Hohelied des ungebundenen Lebens« (*Reclams Filmführer*) gelobt, findet der Film auch Anerkennung wegen seines »ästhetischen Widerstandes«

(Rentschler, 218), obwohl auch hinterfragt wird, ob er, auch wenn er sich nicht der Durchhaltepropaganda der Nazis dienstbar machte, schon als »subversiv« einzustufen ist (Hake 2002, 71). Form und Inhalt eines Films haben ihre jeweils geschichtliche Signifikanz, und es gilt, das Ästhetische als Kommunikation auch von nichtästhetischen Inhalten und Bedeutungen zu analysieren und zu verstehen.

Das Außerästhetische ist oft inhaltlich präsent, etwa in Filmen wie Michael Verhoevens *Die Weiße Rose* (1982) oder *Das schreckliche Mädchen* (1989). Sie thematisieren Historisches bzw. Zeitpolitisches, den aktiven Widerstand gegen die Nazidiktatur bzw. die Problematik der Vergangenheitsbewältigung, wobei die mit Distanzierungsmitteln arbeitende Filmform von *Das schreckliche Mädchen* das bloße Genießen spannender Unterhaltung erschwert, indem die Zuschauer mit der Notwendigkeit von Analyse, Verstehen und Wertung konfrontiert werden.

Ein Edelwestern wie *High Noon* (1952) ist nicht nur vom Gattungsschema des Kampfes zwischen Gut und Böse im amerikanischen Westen her zu verstehen, sondern auch auf die zeitgeschichtliche Situation des Koreakrieges bezogen worden (Drummond). Ein Kultfilm wie *Casablanca* (1942) ist nicht nur »intelligentes Melodram« (*Reclams Filmführer*) zeitenthobener ›großer Liebe‹ mit klassischer Starbesetzung, sondern verflochten mit den politischen Realitäten des Zweiten Weltkrieges, Naziherrschaft, Vichy-Frankreich, Flucht ins Exil.

Wie jedem Kunstwerk eignet Film, auch als Industrieprodukt, etwas Handwerkliches. Zugleich ist Film Teil einer Dialektik von Konvention und Innovation: in den Mitteln, in den Formen, Inhalten, Themen, in der Ästhetik und Intention. Ein angemessenes Verstehen sollte vom Charakter des Gemachten im Film ausgehen, Machart und künstlerische Absicht zu erfassen suchen durch die verschiedenen Schritte der Analyse, bevor die Interpretation von der Bestandsaufnahme und Beschreibung zur kritischen Wertung übergeht. Film als Erlebnis der Schaulust mit der Geschlechterproblematik von weiblichem und männlichem Sehen sollte in der Interpretation Anmutung und Nachdenken, Unterhaltung und Einsicht, Genuss und Begreifen zu einer Einheit verbinden. Auch Erkennen schafft Lust, und das Vergnügen, etwas Überzeugendes, nicht nur Subjektives herauszufinden und mitteilen zu können, erhöht die Freude am Film. In diesem Sinne Augen auf und guten Blickfang!

2. Einleitung:
Film in Analyse und Interpretation

Film, die »siebte Kunst« (Becker/Schöll, 35), ist einzigartig als Medium des Visuellen und der Kommunikation im Zeitalter der Technik und der Massen. Seit 1895 gibt es Film und Kino als apparaterzeugte Realität des Sehens. Als Medium des Industriezeitalters haben Film und Kino enorme technische Entwicklungen vollzogen, wobei Fernsehen, Video, Computer, CD-ROM, Laserdisk und DVD das Spektrum visueller Kommunikation erheblich erweiterten und zu einer »Allgegenwart des Filmischen« (Schenk, 15) führten. Film ist nicht länger an das Kinoerlebnis der *black box* gebunden. Das alte Kino, Dunkelkammer und exklusiver Ort der Schaulust, befindet sich auf dem Rückzug, überholt von immer neueren Medienangeboten, die das bisherige Kinoerlebnis verdrängt (Paech/Paech) und einen »Strukturwandel der Film-Öffentlichkeit« (Schenk, 179) hervorgerufen haben. Das Fernsehen ist dabei eine Alltagsmacht sondergleichen, denn es übernimmt die Vermittlungsdienste des Kinos (vor allem für ältere Filme), schafft eigene Unterhaltungsformen (vorwiegend Fernsehserien, Talkshows, Dokumentationen) und fungiert wie ehedem die Mythen als Weltdeutung und Sinnstiftung (Bleicher, 85).

Basis für die Filmanalyse ist der Film, das Filmerlebnis, ob im traditionellen Kino oder anderswo, und die Reflexion auf das Gesehene. Ein Film muss wahrgenommen und diese Betrachtung muss verarbeitet werden. »Filmverstehen« (Monaco) ist eine »Zuschaueraktivität« (Corinna Meyer). Was das Kinoerlebnis von der Filmrezeption in anderen Situationen (am Bildschirm des Fernsehers oder Computers) unterscheidet, ist der Aspekt der Öffentlichkeit, der »sozialen Aktivität« (Faulstich ³1980, 96).

In der Dunkelkammer des Kinoraums ergibt sich als Erlebnis nicht nur die Befriedigung von Freizeitbedürfnissen wie Schaulust, Unterhaltung und Wunsch nach Identifikation. Im Kino als Ort der Emotionen entsteht auch das Gefühl des Verbundenseins der Zuschauer, einer virtuellen Gemeinschaft der Sehlustigen, die sich oft genug auf die Vorgaukelungen der Leinwand einlassen wie Kinder auf Märchenfantasien. Das vormalige Ritual des klassischen Kinobesuchs, Verdunkelung, Vorhangöffnung, Wochenschau, Vorfilm, Wiederbeleuchtung zum Eiscremeverkauf, erneute Verdunkelung, Vorschau und Hauptfilm, all das schuf Erwartungshaltungen, eine Hingabe an die oft beschworenen »schönen Stunden«, Zerstreuung und Unterhaltung. Zur Schaulust als einem infantil gespeisten Sehen kommt das Gefühl der Gemeinschaft im Dunkeln, die erotisierte Teilhabe an den Wunschfantasien des Lichtspiels, das oft atemlose Mitgehen mit den Stars und ihren atemberaubenden Schicksalen. All das sucht danach Ausdruck im Gespräch über den Film, als gemeinsames Austauschen von Spontanreaktionen, als Palaver oder Selbstgespräch, als Kinofortsetzung im Kopf.

Verlassen die Zuschauer das Kino, haftet ihnen eine Aura besonderen Erlebens an, schimmernde Augen, ein Abglanz starker Gefühlsregungen, ein Ausdruck der Verzückung, des Verzaubertseins oder auch der Betroffenheit, Desillusion, Verstörung. Eingezeichnet hat sich die verändernde Kraft des Kinos, präsent ist zumindest der nachhaltige Filmeindruck. Beispiel für die ergreifende Wirkung des Films sind die Überlieferungen von Franz Kafkas unwillkürlichem Weinen nach Kinobesuchen. Das Erleben melodramatischer Filme des Kintopp erschütterte diesen Meister der literarischen Angstdarstellung und Existenzverunsicherung und zeigt ihn als einen Kinogänger menschlichen Betroffenseins (Zischler, 131, 135).

Die von früheren Filmerfahrungen vorgeprägten Wahrnehmungsweisen der Zuschauer bringen vorwiegend subjektive Sehweisen und Urteile zur Sprache, meist bezogen auf Handlung und Figuren. Vom ›tollen‹ zum ›miesen‹ Film geht oft die Skala der Impulswertungen, bei denen das Filmerlebnis verkürzt mit unbekümmerter Direktheit angesprochen wird. Für Kinogänger, die mehr auf sich halten, sind solche Anmutungsaussagen eher Ausdruck einer naiven Filmerfahrung und vereinfachenden Kritik. Subjektiv sind jedoch auch die Meinungsäußerungen derjenigen, die sich für persönliche Experten in Sachen Film halten, wenn sie mehr Vorlieben von sich geben als analytisch ihre Wertungen begründen. Diese Art von Gespräch über das Filmerlebnis kümmert sich nicht um Ansprüche von Wissenschaftlichkeit, sondern gibt den spontanen Reaktionen ein Flair von Filmkennerschaft aufgrund persönlicher Erfahrungshorizonte. Das breite Spektrum von unbefangenen zu wissenden Zuschauern zeigt sehr unterschiedliche Formen der Aufmerksamkeit, Wahrnehmungsgabe und Einsicht. Entsprechend verschieden sind die Artikulationen dieser Film-Öffentlichkeit, die engagiert ist, aber nicht als berufliche Filmkritiker oder Filmwissenschaftler. Denn Film und Kino, Ware und Vermittlungsindustrie, sprechen alle Konsumenten an, vom nur schauenden oder gar gaffenden zum reflektierenden Zuschauer, vom Kinokenner und Kritiker bis zum Wissenschaftler. Die alte ans Kino gebundene Film-Öffentlichkeit unterliegt jedoch durch »die audiovisuelle Veränderung unseres Alltages, unserer Lebensgewohnheiten, unserer Wahrnehmungsweisen, unseres Wirklichkeits- und Irrealitätsverständnisses« dem Strukturwandel und wird nach Wolfram Schütte vom »Totum des Fernsehens« absorbiert (vgl. Schenk, 181 f.).

Allgemein ist das Spektakel der Bilder, die Rasanz eines Films jeweils nicht Ersterfahrung, sondern wird eingeordnet in die Kette individueller Filmerlebnisse. Kinogänger sind auch Kinokenner. Sie kennen sich aus in den Filmen ihrer Lieblingssparte, haben ganze Genres parat, ob Gangster-, Western-, Horror-, Kriegs- oder Actionfilme. Oft wird ihr Schwarm, der Star, angehimmelt und figuriert als Glanzpunkt im Erlebten. Austausch im Bekanntenkreis, Mundpropaganda und allpräsentes Mediengespräch über Film in Tageskritik, Zeitungen, Zeitschriften, Radio, Fernsehen und Internet machen neugierig, reizen an, bilden vor, erwecken Erwartungen, Meinungen und auch Wahrnehmungsweisen.

Filmleidenschaft, Filmvertrautheit, Filmkennerschaft der Filmfans sind verschieden von der Sicht der Kritiker, die als Profis aus ihrem Fundus von Wissen und Beobachtungsgabe Filmkritiken für die Medien liefern. Im Feuilleton und Kulturteil der Tages- und Wochenzeitungen, in den Stadtmagazinen, im Radio, Internet und anderswo geben die Filmkritiker mit ihren Besprechungen und Urteilen den Ton an. Die journalistische Filmkritik zielt weniger auf wissenschaftliche Analyse, sondern formuliert oft recht flott vorgebrachte Wertungen, von der lobenden Würdigung bis zum scharfen Verriss. Empfehlungen ergehen sich leicht im enthusiastischen Lobgesang des ›Hochkarätigen‹, während Verrisse oft schnöde abkanzeln. Je nach Persönlichkeit und Publikationsorgan erfolgt die Kritik mit hohen Ansprüchen, aber auch mit Sprachartistik und intellektuellem Snobismus. Gute Filmkritik ist gegenüber der Filmrezeption der Normalverbraucher reflektierter, reicher an Vorwissen, auch wenn die eigenen Vorgaben, Kontexte und Wertmaßstäbe das Urteilen mitbestimmen. Werten bedeutet subjektiv sein, aber Wissen, Niveau, Scharfsinn und Urteilsfähigkeit zeichnen große Kritik aus, wie leuchtende Beispiele aus der Geschichte der

Filmkritik lehren: Rudolf Arnheim, Béla Balázs, Lotte H. Eisner und Siegfried Kracauer, die als Kritiker, Historiker und Theoretiker Bedeutendes auch für Filmanalyse und Filmtheorie geleistet haben.

Filmanalyse ist Wissenschaft vom Film. Filmanalyse ist nicht unumstritten, in Deutschland ohnehin durch die relativ späte Institutionalisierung der Filmwissenschaft an den Universitäten ein recht junges Fachgebiet, das oft den theaterwissenschaftlichen oder literaturdidaktischen Instituten angegliedert ist, ein Zeichen, wie wenig ›hoffähig‹ und eigenständig diese Disziplin (mit relativ wenigen Lehrstühlen) noch ist. Die Filmanalyse geht über das bloße (und subjektive) Meinen der Kinogänger und die differenziertere Kennerschaft der Filmkritik hinaus und beschäftigt sich mit den Phänomenen Film und Kino im Medienkontext als Gegenstand umfassender wissenschaftlicher, d. h. systematischer Forschung und Lehre. Filmanalyse ist intersubjektiv ausgerichtet, d. h., sie ist methodisch abgesichert. Ihre Verfahrensweisen und Erkenntnisse sind auf Nachprüfbarkeit hin angelegt. Auch für den Filmwissenschaftler ist das Spektakel der Bilder, sind Reiz und Rausch audiovisueller Erfahrung Faszination und Ausgangspunkt der weiteren Beschäftigung mit dem Filmerlebnis und seinen Konstituenten. Aber die filmanalytische Betrachtung und Erforschung geht über das Subjektive und die Belange der Tageskritik hinaus und folgt mit eigener theoretischer Selbstreflexion immer wieder neu hinterfragten Wissenschaftsmodellen.

Die Filmanalyse verdankt anderen Disziplinen viel. Vor allem Sprachwissenschaft, Semiotik, Literaturwissenschaft, aber auch Soziologie, Psychoanalyse, Kulturstudien und Feminismus haben bedeutenden Anteil an Theorie und Praxis der Filmanalyse. Legion sind die Arbeiten zum Film als Darstellung eines Unbewussten, das von einem psychoanalytischen Begriffsinstrumentarium her aufgeschlüsselt werden muss (Kaplan). Ein Begriff wie Mise-en-scène oder Inszenierung kommt vom Theater her und wird vor allem in der Stilanalyse gebraucht (Bordwell ⁵2001). Laura Mulveys Polemik zur Schaulust hat die Untersuchung des Filmvergnügens von der psychoanalytischen Seite und der Geschlechterdifferenz weiblichen und männlichen Sehens her aufgerollt (*Frauen*; Gottgetreu). Seit Christian Metz (1973) Film vom linguistischen Paradigma her aufschloss, sind Filmsprache und Semiotik verbreitete, auch kontroverse, weil problematische Termini der Filmstudien (Lohmeier).

Die vielseitigen Arbeiten zur Filmanalyse, von Faulstich (1977), Kuchenbuch (1978), Paech (²1978), Hickethier/ Paech (1979), Silbermann (1980), Faulstich (1988), Hickethier (³2001), Korte (²2001) und Faulstich (2002) etwa, kommen ebenso wenig ohne Einbeziehung der Filmgeschichte und Filmtheorie aus wie die (noch zahlreicheren) Einführungen der angloamerikanischen Literatur. Aber »Filmverstehen« (Monaco) vollzieht sich in diesen systematischen Darstellungen immer auch als Analyse von Einzelbeispielen, die oft als »Modelle« (Faulstich 1977) für exemplarisch erklärt werden, obwohl Einzelanalysen nur bedingt Beispielcharakter haben und methodisch auf Voraussetzungen und Wertungskriterien hin abzusichern sind.

Film ist ein historisches Phänomen, das komplexe Entwicklungen durchgemacht hat, national, global und im Prozess der Technisierung der Wahrnehmung und visuellen Kommunikation. Der industrielle Apparat zur Herstellung von Filmen und die immer weiter fortschreitende Technisierung des Films als marktgerechtes Medienprodukt ist frappierend, besonders wenn die wirtschaftlichen Aspekte, die enorm gestiegenen Produktionskosten und die erstaunlich hohen Einspielungssummen so genannter *Blockbusters*, Erfolgsfilme, bedacht werden. Film ist ein Riesengeschäft der Gewinne und Verluste, wobei Pleiten viel eher die Norm sind als Erfolgstriumphe. Filmanalyse muss auch diese ökonomischen und dazu politischen und kulturellen Aspekte mitdenken, um dem Produkt Film, dieser Ware im globalen Kommerz, Rechnung zu tragen. Die finanziellen Strategien großer Konzerne, der Produktionsfirmen und Verleihe zur Profitmaximierung haben den Film im Laufe der letzten hundert Jahre entscheidend mit- und umgeprägt.

Vom medienwissenschaftlichen Gesichtspunkt aus ist Film Gegenstand einer komplexen Analyseannäherung, die einen aspektreichen kritischen Apparat verwendet, der Filmverstehen als Freiraum für Zuschaueraktivitäten begreift. Die Elemente des Films, seine komplexe Wirklichkeit und Wichtigkeit unterstellt sie nicht globaler Hegemonie, sondern Filmanalyse will dem Bekannten das Vergessene gegenüberstellen, dem Dominanten das Unscheinbare, den Gemeinplätzen unverbrauchtere Wahrheiten. Die sind zu suchen in der Analyse als einer aufschließenden und entdeckenden Tätigkeit. Filmanalyse ist die Wiedererweckung der Wahrnehmung angesichts der visuellen Reizüberschwemmung in den Medien. Ist Film die Kunst des Sehens und das Kino (wie andere Schauplätze visueller Erfahrung) der Ort, wo es uns wie Schuppen von den Augen fällt, so wird die Schaulust wieder Ursprung sichtlicher Freuden und Erkenntnisse.

3. Aspekte der deutschen Filmgeschichte

Dem Film ist seine Geschichte eingeschrieben. Nach einer langen Vorgeschichte der Mechanik des Sehens durch eine Vielzahl von Apparaterfindungen ergab sich 1895 eine »drastische Pluralität der Filmanfänge« (Engell 1995, 102). Anschließend erfolgte eine hektische Dynamik technischer Entwicklung und Perfektionierung der zunächst primitiven Apparatur und zugleich künstlerische Innovation. Wichtige Haupttendenzen des frühen Kinos sind für die weitere Ausprägung und Entfaltung des Mediums Film bestimmend gewesen und werden in Darstellungen der

13

1 Der rasende Zug der Brüder Lumière
2 »The Great Train Robbery«, Modell für den Western

Entwicklungsgeschichte gebührend gewürdigt (Nowell-Smith; Gronemeyer). Der frühe Realismus der Filme der Brüder Auguste und Louis Lumière, etwa ihre Wirklichkeitsperspektive auf Arbeiterinnen hin, die bei Feierabend durch ein Tor ihre Fabrik verlassen (*La sortie des usines Lumière*, 1895), steht im Gegensatz zu den traumhaften Märchenfantasien von Georges Méliès, etwa die Reise einer Riesenkartusche zum Mond (*Le Voyage dans la Lune*, 1902). Die Stadtbetrachtungen der Brüder Emil und Max Skladanowsky zeigen die flanierende Kamera in Aktion, etwa Straßenbilder (*Ausfahrt der Feuerwehr*) oder Attraktionen wie *Das boxende Känguruh*, vorgeführt im Berliner Wintergarten (1895). Insgesamt sind diese visuellen Schaustücke Grundelemente filmischer Darstellung, denn Realistik, Unverhofftes im Alltag und Fantastisches waren für filmische Sensationen gut.

Filmentwicklung und Wahrnehmungsveränderung sind aufeinander bezogen. Die Industrialisierung im neunzehnten Jahrhundert führte zur Aufeinanderfolge bedeutender Erfindungen im visuellen Bereich, die Entwicklung der Fotografie durch Daguerre, nach der Camera obscura des Leonardo da Vinci und Athanasius Kirchers Laterna magica (Projektion mit Kerzenbeleuchtung). Der Siegeszug der

14

Eisenbahn als weitverbreitetes Verkehrsmittel und die Erfindung des Automobils vermehrten Tempo- und Zeitgefühl durch immer rapidere Bewegungsmodi (Schivelbusch; Paech ²1997), die in der Literatur, in den Medien eine merkliche Wahrnehmungsveränderung herbeiführten (vgl. Anz, Großklaus in: *Zeit, Medien,* 1994). Mit dem Film organisiert sich eine von Mechanisierung beeinflusste Wahrnehmung und eine Raschheit des Sehens, die in der Vorliebe des frühen Kinos für abenteuerliche Eisenbahnfahrten (*The Great Train Robbery*, 1903) und halsbrecherische Autojagden (*chases*) zum Ausdruck kamen. Lumièrs *L'arrivée d'un train à La Ciotat* (1895) zollte der Geschwindigkeitsbesessenheit der Zeit Tribut, indem er ein Techniksymbol der rasanten Fortbewegung mit dem neuen Darstellungsmittel Film einfing und zwar, zum Erschrecken vieler Zuschauer, durch einen perspektivischen Trick, der den Zug schräg auf die Zuschauer zurasen ließ. Kafka notierte sich im Tagebuch das »Erstarren« der Zuschauer dieses ungeheuerlichen Geschehens, womit er die psychologische Wirkung filmischen Horrors und die Schockwirkung paradigmatisch erfasste (Zischler, 12).

In relativ kurzer Zeit hat der Film seit seinen Anfängen viel geleistet, zunächst die Entwicklung des Spielfilms durch Schaffung filmischer Erzählweisen und Differenzierung der ästhetischen Mittel und Formen. Einher damit ging das Starsystem, das menschliche Identifikationsbilder schafft zur Faszination der Zuschauer und Vermehrung des Publikums. Filmvorführungen wurden festgelegt in eigens dafür bestimmten Kinos als Orten der Schaulust. Man umwarb die oberen Gesellschaftsschichten, denn das theaterergebene Bildungsbürgertum sah herab auf die Belustigungen der unteren Schichten. Auch die Behörden reagierten zunächst misstrauisch auf das Phänomen Film, als es noch auf Jahrmärkten, in Wanderkinos und Varietés an der Peripherie der Städte sein Unwesen trieb. Alarmierte Kinoreformer, im Kampf gegen Schund, Schmutz und die Kinogefahr, eiferten gegen die Verlockungen der

Leinwand, die vermeintliche Jugendgefährdung und bedrohliche Frauenverblödung im Kino, dabei übersehend, dass Kino auch positiv die Fantasie anregt (Kreimeier 1980). Die Verbindung von Sexualität und »oft grauenhaft plastischen Darstellungen aus dem Verbrecherleben« (*Prolog*, 67; Schlüpmann, 190) in den Filmen galten schlichtweg als verderbend: »Die widerliche Spekulation auf die Freude der Menschen am Krassen und Schauerlichen, am Sentimentalen, am sexuell Aufregenden macht sich breit. Zerrbilder von Elend und Not, Armut und Krankheit erzeugen quälende Gedanken über die Ungerechtigkeiten der Welt, rauben die Achtung vor Gesetz und staatlicher Autorität« (*Prolog*, 67).

Gegen die moralisierende Kinofeindlichkeit wandten sich aufgeschlossene Teile der bürgerlichen Intelligenz. Ihnen bot sich im Film ein unermessbarer Wert, bewegte Wirklichkeit, Zauber, Exotik, Sensation, Träume des Märchens und trotz schwüler Sinnlichkeit und lebendig gewordener Pornographie eine zukunftsträchtige Erfindung. Alfred Polgar schwärmt 1911, dass die »›Bilder von Bildern des Lebens‹ [...] unsere Phantasie lockern und befreien«. Victor Klemperer hält das Lichtspiel im selben Jahr für »das Fließende des Lebens schlechthin [...] eben als befreites, unirdisch gewordenes Leben« (*Prolog*, 162, 172, 182). Das ist eine enthusiastische Homage an die erhebende, in andere Welten versetzende Kraft der »Naturwahrheit Kino« (Lukács), an die Befreiungsmacht Film (*Prolog*, 304). Der ehemals stark verpönte Film fand weitere Bundesgenossen und Verfechter, wie die in dem von Kurt Pinthus edierten *Kinobuch* (1913) vertretenen AutorInnen kurzer »Kinostücke«, von Max Brod und Else Lasker-Schüler bis zu Paul Zech.

Filmneuerungen sind in dieser dynamischen Entwicklungszeit zahlreich. Mit der zunehmenden Etablierung fester, dekorreicher Lichtspielhäuser, den Kinopalästen in den Städten seit 1900, mit der Verlängerung des Minutenfilms zur Stundenunterhaltung, mit der Vervielfältigung von Schauplätzen im Film, mit der Entwicklung der Sequenzmontage und vor allem mit der Herausbildung filmischer Erzählweisen wich das Kino der Attraktionen und Sensationen den »dramatischen Films«, begrifflich gleichbedeutend mit Filmerzählung oder »Spielfilm«, einem feststehenden Begriff seit 1915 (Jacobsen, 26). In den USA, wo sich die Filmstudios vor allem im klimatisch günstigen Kalifornien ansiedelten und Massenproduktion mit der Ware Film für einen bald unersättlichen Kinomarkt betrieben, gelangen dem Großregisseur hunderter gekonnter Melodramen, D. W. Griffith, mit Monumentalfilmen wie *Birth of a Nation* (1915) und *Intolerance* (1916) glänzend inszenierte und komplexe, aber wegen ihres Rassismus problematische Kunststücke. Seine verfeinerte Schnitttechnik, Montage und Parallelaktion prägen das Continuity-System des klassischen Hollywood-Erzählkinos vor. Danach muss jede Szene durch eine rahmensetzende Einstellung, *establishing shot* oder Szenentotale, als Orientierungshilfe für die Zuschauer eingeführt werden (Gronemeyer, 44).

Innerhalb der Filmnationen nimmt Deutschland eine seiner politischen Geschichte nach sehr wechselhafte Rolle ein. Beteiligt an den Pioniertaten des frühen Kinos, erlebte der deutsche Film in den Anfangsjahren des 20. Jahrhunderts großen Aufschwung, allerdings auch propagandistischen Einsatz im Ersten Weltkrieg. Die Dänin Asta Nielsen brillierte seit *Abgründe* (1910) mit ihrer überragenden Schauspielkunst, die traditionelle weibliche Geschlechterrollen in Frage stellte. *Der Student von Prag* (1913) nahm mit der Psychologie gespaltener Persönlichkeit einen Hauptaspekt des expressionistischen Films vorweg, der erstes internationales Ansehen brachte. Das Weimarer Kino der zwanziger Jahre ist beispielhaft vertreten in Werken wie *Das Cabinet des Dr. Caligari* (1919), *Der letzte Mann* (1924) und *Metropolis* (1926), insofern diese Filme als ambitionierte Kunstfilme geradezu den Mythos der Modernität und Innovation des deutschen

Films dieser Periode darstellen. Sie machen nur einen Bruchteil der vor allem aufs Populäre ausgerichteten Produktion der Zeit aus, die drei Phasen aufweist: Krisenperiode (1919–24), Stabilisierungsphase und Neue Sachlichkeit (1924–29) und Ende der Weimarer Republik (1929–33). Kammerspielfilm, Straßenfilm, Bergfilm, die Gattungsbezeichnungen deuten schon das Disparate dieses Kinos an.

Groß war die Konkurrenz amerikanischer Filme, denen mit deutschen Produkten Paroli zu bieten, etwa im Fall des teuren *Metropolis*-Films, für die UFA-Gesellschaft ruinöse Folgen hatte. Ein Querschnitt durch das Jahr 1929 zeigt, wie stark die Filmkultur vom Interesse an Unterhaltung und Zerstreuung bestimmt war (Gandert). So kreuzen sich in der von Krisen erschütterten Endphase der Republik die Tendenzen. Filmkomödien wie Wilhelm Thieles *Die drei von der Tankstelle* (1930), Melodramen, etwa Josef von Sternbergs *Der blaue Engel* (1930), Problemfilme, z. B. Leontine Sagans *Mädchen in Uniform* (1931), Bergfilme wie Leni Riefenstahls *Das blaue Licht* (1932), politische Streifen, etwa G. W. Pabsts *Kameradschaft* (1931) oder Proletarisch-Agitatorisches, z. B. Bertolt Brechts Kollektivfilm *Kuhle Wampe oder Wem gehört die Welt?* (1932) und Verfilmungen wie Piel Jutzis *Berlin Alexanderplatz* (1931) geben einige Aspekte dieser Widersprüche und Überschneidungen an.

Film im Dritten Reich bedeutete Arisierung einer Industrie, in der sehr viele jüdische Talente zu den kreativsten zählten. Nachdem Hollywood schon während der Weimarer Jahre Spitzenregisseure weggelockt hatte, gab es nun und seit dem Anschluss Österreichs im Jahre 1938 auch von dort einen politisch, rassisch und auch ökonomisch begründeten Exodus von Regisseuren, Filmschauspielern, Kameraleuten, Produzenten, Komponisten und vielen anderen in der Filmbranche Tätigen. Und es gab Anpassung und Kooperation mit dem Regime. Beispielhaft in seiner Widersprüchlichkeit ist der Fall Walter

Ruttmann, der als Pionier des abstrakten Films und vor allem mit seinem modern-montagehaften Querschnittfilm *Berlin. Die Sinfonie der Großstadt* (1927) in die Filmgeschichte eingegangen ist, in seinem am Verhältnis von Bild und Ton orientierten Opus *Melodie der Welt* (1929/30) noch eine Antikriegsmontage einbaute, aber 1933 in Deutschland blieb. Nach eigenem Geständnis verkaufte er sich an Leni Riefenstahl wie eine »Hure« und wurde »Mitarbeiter« an ihrem berühmt-berüchtigten propagandistischen Film *Triumph des Willens* (1935), einem Paradebeispiel der »faszinierenden faschistischen Ästhetik« (Susan Sontag), obwohl die umstrittene Regisseurin, die auch *Olympia* (1938) drehte, sich als nichtpolitische Filmkünstlerin verstand. Trotz einiger

3 Geometrie der Massen: Faschistische Herrschaft in »Triumph des Willens«

offizieller Auftragsarbeiten wanderte Ruttmann in die Isolation und einen »heroischen Pessimimus« ab (Goergen, 41).

Der ›Nazifilm‹ besteht zur Hauptsache aus regimekonformen Spielfilmen, einer Unterhaltungsware zur Zerstreuung der Massen. Sie wurde kontrolliert vom Propagandaministerium unter der Regie von Joseph Goebbels, der diesem »Ministerium der Illusionen« und den gleichgeschalteten Medien vorstand (Rentschler). Stark ideologisch-propagandistisch war schon 1933 *Hitlerjunge Quex*, noch infamer Veit Harlans *Jud Süß* (1940), der »berüchtigste, meistzitierte und vermutlich auch erfolgreichste Propagandafilm des ›Dritten Reichs‹« (*Reclams Filmführer*, 346), der im historischen Gewand Geschichte im Dienst des Antisemitismus umbiegt und dabei geschickt

19

und »ideologisch konsequent« Filmmittel wie Überblendungen einsetzt (Donner, 93). Ebenso gezielt antisemitisch ist der von Goebbels in Auftrag gegebene Dokumentarfilm *Der ewige Jude* (Fritz Hippler, 1940), ein Tatsachen verfälschendes Propaganda-Machwerk, das Charlie Chaplin als Juden diffamierte und Peter Lorre als kranken Triebtäter in Fritz Langs *M* (1931) zum Beweis für jüdische Psychopathologie nahm. Zum Unterhaltungsgenre gehörten Ablenkungsfilme wie etwa Detlev Siercks (Douglas Sirk) *La Habanera* (1937) mit der Diva Zarah Leander als Publikumsliebling, von Hitler und Goebbels mehr toleriert als bewundert. Filme dieser Art gelten heute oft als Beispiele des »ästhetischen Widerstandes«, der unter der Unterhaltungsoberfläche Reservate für subversive Sehnsüchte gewährte (Rentschler, 125 ff.). Wie denn eine Reihe von Regisseuren innerhalb der faschistisch kontrollierten Filmwelt Nischen für regimedistanzierende Filme schufen, etwa der ›innere Emigrant‹ Helmut Käutner mit *Unter den Brücken*.

Der deutsche Nachkriegsfilm begann zunächst mit Trümmerfilmen. Unter ihnen ragt hervor Wolfgang Staudtes *Die Mörder sind unter uns* (1946), gedreht für die von den Sowjets zugelassene DEFA, die nach der Teilung Deutschlands 1949 die Filme in der DDR produzierte, während in der Bundesrepublik solch eine zentrale Produktionsstätte fehlte und die Medienlandschaft sich regionaler gestaltete, vor allem durch die spätere Beteiligung der Fernsehanstalten an der Filmproduktion. Bis zur Wende 1989 existierten zwei deutsche Kinos, die sich entsprechend ihrer verschiedenen Gesellschaftssysteme und Ideologien unterschieden: der sozialistische Film in der DDR und sein Gegenstück in der Bundesrepublik, wo sich eine von den Gesetzen des westlichen Kinomarktes bestimmte Entwicklung während des Wirtschaftswunders und der restaurativen Adenauerperiode vollzog. Staudte schuf für die DEFA bedeutende sozialkritische Filme, z. B. *Rotation* (1949) und, in Verfilmung von Heinrich Manns Satire auf den wilhelminischen Staat, *Der Untertan* (1951). Dieser Film, der im Untertanenstaat eine Vorgeschichte des Faschismus aufdeckte, wurde im Westen, wo der Regisseur als Kommunist galt, verboten, während in der DDR sich bald der Vorwurf formalistischer Tendenzen einstellte. Eine Verfilmung von *Mutter Courage* zerschlug sich 1955 wegen unüberbrückbarer Differenzen zwischen dem Stückeschreiber Brecht und dem Regisseur. Mit *Rosen für den Staatsanwalt* (1959), einer kritischen Darstellung des (fiktiven) Wendehalses Dr. Schramm, der unter den Nazis Opportunist war und sich im westlichen Justizapparat erneut anpasst, hatte Staudte nach seinem Weggang aus der DDR einen Erfolg im Westen zu verzeichnen, aber es wurde kein bleibender, und viele Jahre drehte er Serien (*Tatort* u. a.) fürs Fernsehen (Netenjakob).

Zur Bandbreite des westdeutschen Nachkriegsfilms gehörten: der rührselige Eskapismus im Heimatfilm (*Der Förster vom Silberwald*, 1954), familienorientierte Unterhaltung (*Ich denke oft an Piroschka*, 1955), sentimentales Fernweh im Reisefilm (*La Paloma*, 1959), schnulzenhafte oder flotte Schlagerfilme (*Wenn die Conny mit dem Peter*, 1958) und Filme, die wirtschaftlichen Aufstieg, Wohlstandsgesellschaft und politischen Status quo im Kalten Krieg behandelten (*Wir Wunderkinder*, 1958), während Filme wie *Die Halbstarken* (1956) den Blick auf die Problematik der Jugend einer ›verlorenen Generation‹ lenkten. Im Zeichen der Wiederbewaffnung verklärten Kriegsfilme wie *08/15* (1954/55) das Leben und Sterben der Soldaten, während *Die Brücke* (1959) die Sinnlosigkeit der Durchhaltementalität zu Kriegsende sowie die Grausamkeit des Tötens kritisierte und *Des Teufels General* (1954), nach dem Theaterstück von Carl Zuckmayer, sich am Beispiel von Ernst Udet mit dem internen militärischen Dissenz und Widerstand, einem Aspekt der Vergangenheitsbewältigung befasste.

In der DDR griff Konrad Wolf, einer der maßgeblichen Regisseure des sozialistischen Films, die Holocausthe-

4 Ein Wehrmachtssoldat und ein deutschstämmiger Soldat der Roten Armee in »Ich war neunzehn«

matik auf. In *Sterne* (1959) lässt er eine Jüdin auf dem Weg nach Auschwitz in Bulgarien einen deutschen Soldaten treffen, der desertiert und sich den Partisanen anschließt. Wolf, Sohn des nach Moskau emigrierten Literaten Friedrich Wolf, hat für die DEFA in *Ich war neunzehn* (1968) und *Mama ich lebe* (1977) seine autobiographische Erfahrung als Soldat in der in Deutschland einmarschierenden Roten Armee und seine Einstellung zum Krieg filmisch umgesetzt. Mit der DEFA begann, was zum DDR-Film wurde, zuerst antifaschistisches Kino, das in den fünfziger Jahren vorwiegend regimekonform den Aufbau des Sozialismus propagierte, bis im darauf folgenden Jahrzehnt Differenzierungen zum Verbot der so genannten Kaninchen-Filme (*Das Kaninchen bin ich*, 1965; *Denk bloß nicht, daß ich heule*, 1965) führten. Berlin-Filme wie *Berlin – Ecke Schönhauser* (1957) suchten eigenständige, neorealistisch-nahe Darstellungen der Jugendkultur und der Außenseiter, wie auch Heiner Carows *Die Legende von Paul und Paula* (1973), ein Film, der im sozialistischen Meinungsstreit Reservate gegenüber den Ansprüchen der Gesellschaft einforderte. Im sozialistischen Einheitsstaat war Film nicht nur ein affirmatives Mittel zur Erhaltung des Status quo, sondern auch ein Versuch, Doktrinäres in Frage zu stellen.

In der Bundesrepublik formierte sich mit dem Protest gegen das alte, überholte Kino im *Oberhausener Manifest* (1962) der *Junge deutsche Film*, vertreten durch Wortführer wie Alexander Kluge, Edgar Reitz. Später kamen weitere Autorenfilmer hinzu wie Rainer Werner Fassbinder, Werner Herzog, Volker Schlöndorff, Wim Wenders und Hans Jürgen Syberberg, die in den siebziger Jahren das im Ausland vielleicht mehr als im Inland beachtete *New German Cinema* repräsentierten, wobei viele andere Regisseure, z. B. Herbert Achternbusch, Hark Bohm, Peter Fleischmann, Uwe Friessner, Heinhard Hauff und Peter Lilienthal die Filmlandschaft vielseitig konturierten. Sie wäre unvollkommen beschrieben ohne die Beiträge von Regisseurinnen wie Claudia von Alemann, Helma Sanders-Brahms, Jutta Brückner, Valie Export, Jeanine Meerapfel, Ulrike Ottinger, Helke Sander, Ula Stöckl, Monika Treut, deren Filme Feminismus, Avantgarde und Experiment produktiv in Hinblick auf die Neubestimmung weiblicher Existenz verarbeiten, wobei Doris Dörrie und Margarethe von Trotta wohl am erfolgreichsten bis ins Mainstream-Kino hineinreichten.

Aufstieg und Fall des Filmphänomens *Neues deutsches Kino*, das Aufbruch, Glanz und Elend einer nur lose verknüpften, disparaten Generationenbewegung darstellt, visierte Wim Wenders in *Der Stand der Dinge* (1981) an, als er in Parabelform die Sackgassen eines auf individueller Subjektivität beruhenden Filmens im Widerspruch mit Geldgebern und Marktinteressen als transatlantischen Konflikt beschrieb. Sein Filmheld, ein Regisseur, dem die Mittel ausgegangen sind, seinen partout in Schwarzweiß gedrehten futuristischen Film zu Ende zu drehen, erlebt in Los Angeles die tödliche Bedrohung durch die Mächte des Big Business, die Film als Geschäft verstehen und erpresserisch dem Film als Kunstwerk und Ausdruck eigenwilliger Kreativität die finanzielle Basis verweigern (Kolker/Beicken). *Das Boot* (1981) von Wolfgang Petersen war erfolgreich nicht nur als spannender Psycho-Thriller des U-Boot-Krieges, sondern setzte in Konkurrenz mit Hollywood jene Filmmittel ein, die im populären Film den Erfolg absichern. Das Neue deutsche Kino mit dem künstlerischen Anspruch der Autorenfilmer dagegen hätte wohl ohne die komplexe Filmförderung und die Hilfestellung des Fernsehens wenig Erfolgschancen gehabt. Undenkbar ohne Fernsehauftrag ist das imposante, auch kontroverse Epos deutscher Identität, das Reitz mit seiner Chronik eines fiktiven Hunsrück-Dorfes von 1919 bis 1982 in einer 15 $^1/_2$-stündigen Fernsehserie *Heimat* (1981–84) zu geben versuchte. Es wurde vor allem in den USA als Gegenentwurf zum US-Fernsehdrama *Holocaust* (1979) verstanden und kritisiert, insofern die Dorfwelt zu wenig von den großen Konflikten der deutschen Geschichte greifbar machte oder in glaubwürdigen Proportionen schilderte.

Deutscher Film nach der Wende 1989 ist konfrontiert mit vielen Fragen, besonders mit der Frage nach einer deutschen Identität angesichts einer sich immer stärker multikulturell entwickelnden Gesellschaft, trotz der Feindlichkeit und Gewalt gegen Ausländer, wobei Filmer anderer ethnischer Herkunft diese Identitätsfragen auffächern. Der türkisch-deutsche Regisseur Tevfik Baser hat mit *Lebe wohl, Fremde* (1991) schon im beziehungsreichen Titel dieser Begegnung zwischen einer Deutschen und einem politischen Asylbewerber Fremde und Fremdsein als persönliches, sozialtypisches und zeitpolitisches Schicksal zum Ausdruck gebracht.

Bei der Frage nach der nationalen Identität steht Berlin als neue Hauptstadt wieder im Blickpunkt. Die Suche nach (individueller) Identität wird in Wolfgang Beckers *Das Leben ist eine Baustelle* (1997) mit bezeichnender Symbolik aufgeladen. Der Held, Jan Nebel, dessen sprechender Namen schon auf das Unbestimmte seiner Existenz anspielt, stolpert durch politische und private Abenteuer, ›Beziehungskisten‹ mit Frauen, die Aidsgefahr und Ungewissheiten in jeder Hinsicht. Leben ist *work in progress*, etwas Unfertiges, das nicht einfach in den Griff zu kriegen ist. Persönliche Suche ist hier zugleich Lebensgefühl einer Generation nach der Wende, die keine Gewissheiten hat, wo's langgeht. Tom Tykwers *Lola rennt* (1997) macht aus der Suche nach Identität und Gewissheiten die beschleunigte Bewegung einer Liebe um jeden Preis. Von den Möglichkeiten des Lebens im

Dschungel der Großstadt strebt Lola den schlimmen, tödlichen zu entkommen und dem Zufall das auch mögliche Glück abzutrotzen. Suche als hektisches Ausprobieren wie von Kombinationen beim Safeknacken, um mit der Glücksbeute davonzukommen. Beziehung und Identität fallen Lola zu aufgrund ihrer Willensstärke, sich zu entscheiden, das Spielrisiko mit der launischen Fortuna zu wagen, auch wenn ihr Partner diese Form von Hingabe und zugleich Treue zu sich selbst kaum mehr als verbal nachvollziehen kann.

Die Möglichkeit eines Glückstreffers in *Lola rennt* ironisiert, auf Berlin als werdende Hauptstadt bezogen, Hubertus Siegerts *Berlin Babylon* (2000), indem er das Baufieber, mit dem die Stadt einem neuen Make-up unterzogen wird, als eine Art Krankheit kenntlich macht. In einer »dokumentarischen Vision« geht er dem chaotischen Kräftefeld von Politik und Kommerz nach. Öffentliche Bauherren und private Baulöwen im Verein mit ihren Architekten versuchen, Berlins Stadtlandschaft im Interessenkonflikt vorteilhaft für die jeweiligen Sonderinteressen von Bund und Stadt, Konzernen und Mitbürgern umzugestalten. Walter Benjamins Engel der Geschichte zitierend, erblickt die ruhig über der Stadt schwebende Kamera dieses Tun als einen Ruinenbau der Zukunft, als ein Babylon, das nicht von göttlicher Hand, sondern an seiner eigenen Konfliktgeschichte zu scheitern droht.

Deutsche Filmgeschichte ist zum großen Teil ein Prozess dauernder Suche nach Selbstfindung. Auch den Momenten größeren Gelingens haftet das Unfertige einer nicht voll realisierten Welt der Möglichkeiten an, die sich immer wieder an den harten Realitäten dieses geschichtsgeprüften Volkes reiben.

4. Elemente des Films

4.1. Herstellung, Drehbuch, Kino

Film, nach Godard Realität in 24 Einzelbildern in der Sekunde, ist ein Medium, das Wirklichkeit durch fotografische Bilder repräsentiert, wobei gegenüber der Fotografie als entscheidendes Merkmal die Technik der visuellen Bewegung (*motion pictures*) hinzukommt. Die ästhetische Eigenart des Films, die sein Wesen als Kunst begründet, liegt in der Verwendung des mechanischen Reproduktionsprinzips auf künstlerische Weise durch Gestaltungsprinzipien, wie die Wahl des Bildausschnittes, des Kamerawinkels, der Montage und der Handhabung von Sprache und Ton, um eine konstruierte Wirklichkeit zu schaffen, ob widergespiegelte Realität im Dokumentarfilm oder illusionäre Welt im Spielfilm. Zudem zeichnet Film aus: 1. fotografischer Prozess mit Speicherung (und Vervielfältigung), 2. Leinwandprojektion und 3. Gruppenrezeption im Kino. Dass Film vervielfältigt werden kann, dass er mechanisch reproduzierbar ist, macht seine Modernität aus. Dass Film projiziert werden muss unter Bedingungen eines spezifischen audiovisuellen Rituals, das den Einzelzuschauer im Kinoraum zum Flaneur in der Menge macht, gibt dem Film den Status der Massenkunst. Aber immer mehr überschneiden sich Film, Fernsehen, Video und digitale Speicherung auf DVD. So bezeichnet »Film« ein Produkt, das die Bezeichnung für jegliche »›Software‹ an Bewegtbildern« ist, ob im Kino, im Fernsehprogramm, auf Video oder auf dem Computer (Faulstich [2]1995, 186).

Die dem Film eigenen Elemente sind aufteilbar in die Bereiche Produktion, Werk und Rezeption. Aufgrund der fortschreitenden Entwicklung in allen Medien sind diese Elemente immer wieder wichtigen Veränderungen ausgesetzt. Hier steht vor allem im Vordergrund die Beschäftigung mit dem Phänomen Film als Werk, das im geschichtlichen Wandel gesehen, analysiert und interpretiert werden soll. Aber *pre-production*-Aspekte der Produktionssphäre, etwa Drehbuch, Finanzierung, Herstellung, Dreharbeiten, Mitwirkende, Stars u. a. wirken auf Film als Werk ein, ebenso *post-production*-Dinge der Phase nach den Dreharbeiten wie Schnitt, Ton, Test, Verleih und Vertrieb, Marketing und Werbekampagnen. Heutzutage werden besonders von den großen Hollywood-Studios Filme vorgetestet, bevor sie in die Kinos kommen, und gelegentlich erhebliche Veränderungen vorgenommen, etwa wird neu gedrehtes Material (besonders Schlüsse) eingebaut, um publikumswirksamere Aspekte stärker zu betonen.

Produktion ist ein umfassender Begriff, der nicht nur die obigen drei Arbeitsphasen umfasst, sondern auch Film als Apparat und Kino als Industrie. Denn es sind aufwendige technische und wirtschaftliche Apparate, die der Herstellung und Wiedergabe von Filmen dienen. Im Mittelpunkt steht die Filmkamera (zusammen mit den Objektiven, deren Brennweiten ganz verschiedene Wirklichkeitsbilder vermitteln), zu der sich die Fernseh- und Videokamera, jetzt auch digitale, hinzugesellen. Diese Apparate wie auch die von ihnen verwendeten Materialien (Film, Videoband, elektronische und digitale Träger) sind in steter Fortentwicklung. Es sind die verschiedensten technischen Erfindungen, die das Filmerlebnis durch immer größeren Illusionscharakter intensiviert haben.

Von den zur *pre-production*-Phase gehörenden Elementen sind für die Filmanalyse vor allem Drehbuch, RegisseurIn, Darsteller, Techniker, Bauten und Ausstattung von Bedeutung. Im Mainstream-Kino wird ihre Auswahl meist durch das Studio getroffen, das sich als Produktionsfirma oft mit den Geldgebern abspricht, falls es nicht eigenfinanziert. Oft ist hier das Drehbuch eine Vorlage, die im Studio marktgerecht umgeschrieben wird. Der Einsatz von Stars unter den Darstellern kalkuliert auf Publikumswirksamkeit. Die technische Seite ist eine besondere Dimension der Industrie Film und Kino, wobei innovative und glanzvolle Ergebnisse angestrebt werden. Manche Hollywood-*special effects* verschlingen Kosten, für die ganze Filme produziert werden können. Dasselbe gilt für die Gagen der Stars, während RegisseurInnen in der Regel geringere Honorare erhalten. Ihre Aufgabe ist es meist, als bloße Handwerker und Könner des Drehens das den Vorstellungen des Studios entsprechende Rohmaterial zu liefern, das dort dann weiterverarbeitet wird, wobei der Schnitt eine ganz besondere Rolle spielt. Kunst und persönlicher Stil des Regisseurs unterliegen im Allgemeinen der kommerziellen Interessen dienenden Verarbeitung der Studios.

Der Autorenfilm steht im Gegensatz zu dieser industrieorientierten Praxis, wobei Regisseure, oft durch Prämien und Subventionen vorfinanziert, sich im Budget absichern müssen und gelegentlich, wie Wim Wenders mit seinen »Road Movies«, eigene Produktionsfirmen gründen, um finanziell unabhängig zu sein (vgl. Stiglegger). Der Autorenfilmer kommt dem schriftstellerischen Autor am nächsten, gemäß der französischen Theorie: »Der Autor schreibt mit seiner Kamera wie ein Schriftsteller mit seinem Federhalter« (ebda., 13). Es ist dabei bemerkenswert, dass die Vertreter der ›politique des auteurs‹ der fünfziger Jahre sich vor allem auf amerikanische Studiofilme des Gangstergenres und des *film noir* beriefen, in denen die französischen Kritiker und Filmemacher die Handschrift des jeweiligen Regisseurs zu entdecken glaubten.

Das Drehbuch hat als Szenario eine lange Tradition und ist vergleichbar einer roh gefassten Partitur, die ins Bild-Spiel umgesetzt wird. Neueren Autorenfilmern bietet das Drehbuch als Ort des Entwerfens besondere Gelegenheiten zur größeren Beteiligung an der Vorbereitung eines Filmes. Wim Wenders etwa liefert einen Sonderfall, insofern er sein klassisches Road Movie *Im Lauf der Zeit* (1976) ohne ein fertiges Drehbuch filmte, sodass er abends oft die Dialoge für den nächsten Drehtag aufschrieb bzw.

beim Drehen improvisieren musste, eine Form der künstlerischen Arbeit, deren Spontaneität ihm besonders lag. Aber auch im Mainstream-Kino gibt es genug Beispiele für Eingriffe in ein bestehendes Drehbuch während des Drehens, jedoch sind dies oft Änderungen zur Verbesserung der Vorlage, von Spontaneinfällen und -revisionen einmal abgesehen.

Ein berühmtes Beispiel der Drehbuchveränderung, die Geschichte gemacht hat, ist der Film *Das Cabinet des Dr. Caligari*. Lange bevor sich ein Drehbuch wieder auffand, kursierten die Mitteilungen verschiedener Beteiligter, darunter Hans Janowitz, der mit Carl Mayer zusammen das ursprüngliche Drehbuch verfasst hatte. Gefunden wurde im Nachlass von Werner Krauß, der den machtbesessenen Dr. Caligari gespielt hatte, eine Kopie des bis auf den Schluss fast vollständigen Drehbuches, das allerdings durch eine andere Rahmenhandlung dem fertigen Film widerspricht. Denn dieser Film, wie er bekannt geworden ist, entlarvt im Rahmen die Binnengeschichte als Halluzination eines Anstaltsinsassen (Franzis), der von einer fixen Idee beherrscht ist, dass der Anstaltsdirektor eine heimliche Doppelexistenz führt und den mörderischen Caligari als sein Doppel ausersehen hat. Das ursprüngliche Drehbuch dagegen zeigt in der Anfangssequenz Franzis und seine jetzige Frau Jane bei einem Abendempfang, wo sie Freunden von der tragischen Geschichte des Doktors erzählen, der sein Medium Cesare zu seiner Mordlust missbrauchte und am Ende von Franzis entlarvt, dingfest gemacht wurde und schließlich verstarb. Die völlig entgegengesetzt argumentierende Rahmenvariante des fertigen Films zeigt eine Umdeutung, die während des Drehens vorgenommen wurde. Hier ist der Anstaltsdirektor derjenige, der am Ende als engagierter Therapeut aufgrund einer einsichtigen Diagnose seinen Patienten, dessen Phobien er erkannt hat, zu heilen beabsichtigt (*Das Cabinet des Dr. Caligari*, 1995).

Drehbücher sind Vorgaben, die meist verschiedene Stadien

durchlaufen, bis sie den Intentionen des Regisseurs (oder des Studios und Produzenten) entsprechen. Es ist ein nicht zu seltener Sonderfall, dass ein noch lebender Autor einer Erzählvorlage für das Drehbuch und auch Drehen eines Filmes konsultiert wird. Schon bei Phil Jutzis Verfilmung (1931) von Alfred Döblins modernistischem Stadtroman *Berlin Alexanderplatz* (1929) mit dem Starschauspieler Heinrich George wurde der Autor zum Mitarbeiter am Drehbuch (Sander; *Berlin Alexanderplatz*). Heinrich Mann überließ die Verfilmung seiner sozialkritischen Satire auf das preußische Schulwesen, *Professor Unrat oder das Ende eines Tyrannen* (1905), unter dem Titel *Der blaue Engel* (1930) einem Team von Drehbuchautoren (darunter Carl Zuckmayer) und Josef von Sternberg, dem selbsternannten ›Entdecker‹ Marlene Dietrichs, als Regisseur.

Ein Beispiel der Umarbeitung eines Drehbuchs in Konsultation mit dem Autor der Erzählvorlage (Heinrich Böll) findet sich beim Film *Die verlorene Ehre der Katharina Blum* (1975) von Volker Schlöndorff und Margarethe von Trotta. Hiervon existieren vier Drehbücher, wobei in der letzten Fassung, der Schnittfassung des Films, die Sequenz am Anfang gegenüber den Vorstufen erheblich modifiziert erscheint und eine gewichtige Akzentverlagerung darstellt. Der von der Polizei beschattete, in der Anfangssequenz mehrfach im Kamerasucher erfasste angebliche Terrorist Ludwig Götten (später stellt sich heraus, dass er aus der Bundeswehr ausgerückt ist und dabei Geld hat mitgehen lassen) erscheint in den Vorstufen als ein ordinärer Dieb. Nach dem Übersetzen mit einer Rheinfähre am Ufer angelangt, beginnt er, verschiedene geparkte Autos zu traktieren, um sich durch ein einwandfrei als Diebstahl erkennbares Vorgehen in den Besitz eines Fluchtwagens zu versetzen. Die Schnittfassung und der fertige Film betonen den Aspekt der Überwachung (durch die spionierende Polizeikamera) und Verfolgung in mehreren Fahrzeugen, um dem vermeintlichen Terroristen auf der Spur zu bleiben in der Hoffnung, von ihm zu seiner (nicht existieren-

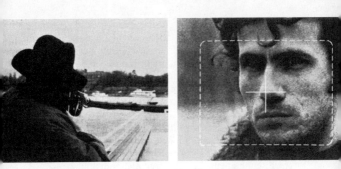

5 *Überwachung durch Mann (Staatsorgan) mit Kamera*
6 *Der mutmaßliche Terrorist Götten im Sucher*

den) Bande geführt zu werden. Den (nummerierten) Einstellungen nach ergibt sich:
»Nachdem die Fähre angelegt hat (E 7–8), geht Götten, gefolgt von dem Mann mit der Kamera, die Straße vor der Anlegestelle hoch (E 9). Er blickt sich kurz um, seine Schritte werden schneller. Als er eine Straßenkreuzung überqueren will, hält ein Sportwagen wenige Meter vor ihm; der Fahrer steigt aus und lässt sein Fahrzeug unverschlossen am Straßenrand zurück (E 10). Götten geht rasch um das Auto herum und öffnet die Tür (E 12). Er steigt ein und fährt, wiederum über das Sucherbild der Kamera wahrgenommen, davon (E 13)« (Michael Truppner, in: Schwarz, 157).
Aus dem vorsätzlichen Autoknacker ist ein Gelegenheitsdieb geworden, der dem im Film schon fest eingeschriebenen System der polizeilichen Überwachung zu entfliehen sucht. Bildsprache und Handlung implizieren die Allgegenwart staatlicher Behörden, machen den Staat als Polizeistaat deutlich.

Der Kinoraum. Was das Drehbuch zum Entwurf bringt, muss im Film realisiert und im Kinosaal zum Seherlebnis werden. Zu den wahrnehmungspsychologischen Eigenheiten des Filmsehens im verdunkelten Kinosaal gehört die ausschließliche Betonung des Sinnlichen als visuelle und auditive Empfänglichkeit unter starker Betonung des Emotionellen. Kinogänger, weibliche und männliche, gehen aus von »infantiler Schaulust« (Koch; *Frauen*, 17), erfahren aber eine geschlechtertrennende Sozialisation. Sie erleben Gemeinsames und Verschiedenes im Leinwandgeschehen, das fasziniert, bannt, genussvoll ist; in ihrer Vereinzelung werden die Zuschauer zugleich Teil der Menge, die mitatmet, mitlacht, mittrauert, mitweint und am voyeuristischen Blick teilhat mit der Chance zum distanzierten Flaneur, zur Abstand haltenden Flaneuse des Sehens. In einer vorwiegend zur Isolation und zum Passiven hin drängenden Haltung ist dennoch ein virtuelles Sozialgefühl möglich, das am Schauen der andern partizipiert, auch wenn die Zuschauer in sich selbst befangen bleiben. Erfahrene Kinogänger pendeln zwischen passiver, genießender Hingabe ans Filmgeschehen und Distanz schaffender Bewusstheit gegenüber nur emotional-regressivem Gebanntsein hin und her. Vor allem Walter Benjamin stellte sich einen testenden, d. h. mit Bewusstheit probenden Zuschauer vor, der im Film eine emanzipatorische Form der Wirklichkeitsauseinandersetzung erkennt. Seine Reflexionen zum *Kunstwerk im Zeitalter seiner technischen Reproduzierbarkeit* (1936), jahrelang von maßgeblichem Einfluss, sind von Prokop als normativ und unhistorisch kritisiert worden (1970, 39 ff.). Faulstich gar meint dazu: »Das Kino als Sammelraum stellt keine emanzipatorische Chance einer Kollektivkunst dar, sondern eine wirksame Beihilfe zur Verwirklichung von Regressionstendenzen beim ohnehin schon isolierten, passivierten Kinobesucher« ([3]1980, 91). Diese negative Sicht übersieht, dass Filmsehen auch ein Erkennen darstellt, nicht nur ein Blindsein im atavistischen Sinne.

Die Unterhaltungsware Film, die durchaus auch Denkangebote offeriert, wurde zur Blütezeit in Kinopalästen gefeiert, die aber einem historischen Niedergang erlegen sind, vor allem durch die Konkurrenz des Fernsehens. Auffächerung des Unterhaltungsangebots und die stark veränderte Freizeitgestaltung haben zum Kinosterben beigetragen. Aufstieg, Glanz, Untergang und Überleben und Neuorientierung in der Kinolandschaft (etwa das Kino als Multiplex-Center) ist mehrfach an paradigmatischen Beispielen untersucht worden, in großstädtischen Bereichen, im Regionalen, auf dem Lande (Paech 1985; Töteberg 1990; »Im Kino«. Der Alltag. Die Sensation des Gewöhnlichen. 71. Berlin 1996).

Das Fernsehen hat Vorrangstellung erreicht, produziert auch vielfach Filme mit, die nach kurzen Kinoläufen zur Fernsehware werden, weil das Fernsehen aufgrund seines Bedienungsbedarfs der Ausstrahlungsplatz nicht nur für ältere Filme ist. Die anderen Präsentationsmodi des Fernsehens spielen eine Rolle. Fassbinders mehrteiliger Fernsehfilm *Berlin Alexanderplatz* (1980) verstieß gegen die konventionelle »Fernsehspielästhetik« und wurde vielen zum Skandalon: »die Dunkelheit, die Gewalt, der Sex« (vgl. Sander, 249). Besonders die rembrandthafte Bildqualität in der Szene von Biberkopfs Besuch bei den Juden im Scheunenviertel, dieses von oben aufgenommene verdunkelte Interieur, konsternierte Fernsehzuschauer, die sich ›mehr Licht‹ wünschten, wie zahlreiche Anrufe bei den Fernsehanstalten deutlich machten. Sicher spielt bei solchen ›unkonventionellen‹ Filmästhetiken, die sich nicht ›fernsehgerecht‹ und ›wohnzimmerfreundlich‹ geben, eine Rolle, dass die Kinoleinwand und Projektion im Kinoraum anderen Gesetzen unterliegt als die audiovisuelle Wahrnehmung vor dem Fernsehapparat, der den Zuschauer weniger auf das Bildgeschehen fokussiert als die Dunkelkammer des Kinos (vgl. Hickethier [3]2001; Schwarz).

4.2. Filmische Codes

Kommunikation ist die Vermittlung von Bedeutung durch Zeichen. Es ergeben sich verschiedene Zeichensysteme, sprachliche Zeichen als Wort/Wörter, akustische Zeichen als Ton, ikonografische oder Bildzeichen als Bilder, optische Zeichen als Symbole. Film – besonders der Tonfilm – besteht aus vier Zeichensystemen: Bildinhalt, Bildbewegung und Bildfolge (das eigentlich Filmspezifische, daher filmischer Code), Sprache und Ton. Die Filmsemantik beschreibt die Bedeutung dieser filmischen Zeichen (Silbermann, 40, 48).

Der Film besteht aus der raschen Abfolge der Einzelbilder. Doch ist nicht das Einzelbild, sondern die Einstellung die kleinste Zeicheneinheit des filmischen Codes (Morphem), und zwar als Einheit mit einem einheitlichen Kamerablick und begrenzt von zwei Schnitten oder Blenden. Die Einstellung hängt von anderen ebenfalls als Filmelementen zu verstehenden Bedingungen ab: Lichtverhältnisse bzw. Beleuchtung; Brennweite des Kameraobjektivs; Kameraeinstellung; und Kameraperspektive. Jede Einstellung gibt einen Wirklichkeitsausschnitt wieder, dessen Wirkung von den Elementen, aber auch den Intentionen des Filmemachers (und den durch ihn mit zum Ausdruck gebrachten Konventionen) abhängt.

Beleuchtung, künstliche, vor allem Studiobeleuchtung, aber auch natürliche Lichtverhältnisse nehmen auf das Filmbild einen großen Einfluss, da Film eine Dynamik von Licht und Schatten darstellt. Bekannt ist der schattenbetonte Filmstil im deutschen Expressionismus, der im amerikanischen *film noir* weiterentwickelt und effektvoll, aber auch stereotyp gehandhabt wurde.

Die Fähigkeit der Kamera, ihre Gegenstände aus wechselnder Distanz (Entfernung zum Kameraauge) und Perspektive (Beziehung zum Gegenstand horizontal und vertikal) aufzunehmen, gehört zu den wichtigsten filmischen Darstellungsmitteln. Kameraobjektive, etwa Weit-

7 Expressionistische Schatten in Murnaus »Nosferatu«
8 Zitierte Schatten: Robert Siodmaks »Die Wendeltreppe«

winkel für eine ausgeweitete Perspektive oder Breite und
Teleobjektive für ein gedrängtes Bild, beeinflussen die
Wahrnehmung des dargestellten Raumes. Die Kameraeinstellungen, also die (relativen) Einstellungsgrößen, zusammen mit den Kamerabewegungen schaffen ganz verschiedene Ausschnittsbilder eines Raumkontinuums, das selbst
in der panoramischen Ganzaufnahme nur als Teil eines
noch größeren Zusammenhangs erscheint. Wahrnehmungspsychologisch ist der Betrachter von den Ent-
fernungsverhältnissen und den Perspektiven im Sehen,
Verhalten und Deuten des Geschauten mitbestimmt, obwohl die spezifischen Bildinhalte und dazu Sprache und
Ton ebenfalls von Bedeutung sind. Erst das Zusammenwirken dieser Elemente macht das Besondere einer Einstellung aus. Normalerweise werden die generischen Einstellungsgrößen an Bildbeispielen etwa wie folgt exemplifiziert:

1. **Weit (W).** Dieser panoramische Blick zeigt große Übersicht über eine ausgebreitete Landschaft mit Skyline.

2. **Total (T).** Ein Überblick ergibt sich, eine Vorstellung
des Ganzen zur Orientierung in einem Raum, in dem bald
die Handlung in einer Reihe von Nah-(N) oder Groß-(G)

Einstellungen sich zu entwickeln beginnt. Vermittelt wird eine räumliche Ordnung, die im Gedächtnis bleibt, sobald sich die Kamera auf größere Handlungsnähe einlässt.

3. **Halbtotal (HT).** Der Kamerablick konzentriert sich mehr auf Handlung als Raumordnung; das Geschehen ist im Blick, allerdings noch aus der Entfernung. In den Vordergrund tritt die Körpersprache, die Gestik. Menschen und Gegenstände erscheinen in einer sie charakterisierenden Situation und Umgebung.

4. **Halbnah (HN).** Figuren erscheinen in ihrer vollen Größe. Eine Gesprächssituation kann gezeigt werden.

5. **Amerikanisch (A).** Einstellung zwischen »Halbnah« und »Nah«, zeigt eine Person bis oberhalb des Knies und unterhalb der Hüften, bis dorthin, wo beim Helden im Western der Revolver im Halfter steckt.

6. **Nah (N).** Zeigt ein Brustbild, beherrschend sind Oberkörper und Kopf vor dem Hintergrund.

7. **Groß (G).** Kopfbild mit Hals, gelegentlich Schulterteil. In Gesprächssituationen zeigt »Groß« den Gesichtskreis, die bedeutungsvolle Mimik beim Sprechen.

8. **Detail (D).** Ausschnitt eines Gegenstandes oder einer Person (ein Gesichtsteil, Mund, Nase, Auge, Ohr usw.). Gefühl großer Nähe, ja Intimität mit der dargestellten Figur in ihrer Isoliertheit. Das Detail gewinnt Bedeutung im Zusammenhang.

Als Übersicht ergibt sich:

W	Umfassende symbolische Aussageebene, Vermittlung von Atmosphäre
T HT HN	Situationsbezogene Handlungsebene
A	Gestische Handlungsebene
N G	Mimische Handlungsebene
D	Isolierte symbolische Aussageebene

Entgegen einer häufigen Annahme ist die Weit-Einstellung (W) nicht unbedingt eine der bloßen Distanz und des möglichen Desinteresses im Gegensatz zur intimeren Anteil-

Weit (W)

Total (T)

Halbtotal (HT)

Halbnah (HN)

Amerikanisch (A)

Nah (N)

Groß (G)

Detail (D)

9 Kamera-Einstellungsgrößen

nahme bei einer Detail-Einstellung (D). Es hängt von den Inhalten ab. Wenn zu Beginn von *Aguirre, der Zorn Gottes* eine Berglandschaft gezeigt wird in (W), in der sich eine Menschenkette langsam und ameisenhaft klein die Hänge hinunterbewegt, dann vermittelt das Gesamtbild (mit der ätherisch klingenden Sphärenmusik) den Eindruck des Erhabenen, so wie Werner Herzog im Drehentwurf etwas Kathedralenhaftes vorschwebte. Alle Einstellungsgrößen haben also ihre formale, funktionale und inhaltsbestimmte Eigenart.

Kameraperspektive ist eine besondere Form der Beweglichkeit der Kamera. Drei Einstellungsperspektiven ergeben sich:

10 *Normalsicht in Augenhöhe: Lukas Haas in »Der einzige Zeuge« (Peter Weir, 1984)*
11 *Panzerkreuzer Potemkin aus der Untersicht im Schlussbild*

1. **Normalsicht** (Augenhöhe)
Abbildung 10 (*Witness, Der einzige Zeuge*)
Die Normalsicht gibt dem Zuschauer die Augenhöhe, den möglichen Blickkontakt und einen vertrauten Zugang zum Gegenüber im Film, auch wenn das Angeblicktwerden, wie im Fall des direkten Schauens des Kindes im *Einzigen Zeugen*, intensiv und beunruhigend wirken kann.

2. **Froschperspektive** (Untersicht)

Abbildung 11 *(Panzerkreuzer Potemkin)*

In Eisensteins *Panzerkreuzer Potemkin* fährt am Ende der Schiffsbug fast in den Kinoraum, überwältigend, mit den jubelnden Matrosen zum Zeichen der Überlegenheit der revolutionären Bewegung, die den mitreißt, der sich anschließt, aber den zermalmt, welcher dem Geschichtsprozess im Wege steht.

3. **Vogelperspektive** (Aufsicht)

Abbildung 12 (Frau auf Odessa-Treppe)

12 *Aus der Aufsicht: Frau mit Kind auf der Treppe in Odessa in »Panzerkreuzer Potemkin«*

In seiner montagereichen Sequenz des Geschehens auf der Odessaer Treppe verwendet Eisenstein verschiedene Blickpunkte und Kameraeinstellungen, um das grausame Geschehen eindringlich zu dramatisieren. In dieser Einstellung wird der Zuschauer in die Lage eines Beobachters versetzt, der aus überlegener Perspektive die Brutalität des Vorgehens der Kosaken mitvollzieht, sich virtuell dagegen entscheiden kann.

Kamerabewegungen sind ein Grundmittel der dynamischen Gestaltung, insofern die Kamera nicht nur sich bewegende Figuren und Gegenstände fixiert, sondern in Bewegung gesetzt wird, um eine Dynamik des Sehens zu schaffen, in die der Zuschauer hineingezogen wird, weil er nicht nur einem starren Kamerablick folgt, sondern mit der sich bewegenden Kamera an der Aktion, am Handlungsgeschehen visuell teilnimmt. Hier wird die flanierende Kamera zum Wahrnehmungsorgan eines beweglichen, spannenden Sehens.

1. **Stand.** Gilt als Nullstufe der Kamerabewegung, die unterbleibt, um einen Gegenstand aus ein und derselben Perspektive aufzunehmen, ohne Verschiebung der Größenverhältnisse, also auch ohne Bildvergrößerung. Aber wenn diese statische Kamera den Standort wechselt, wird das Verhältnis zum gefilmten Gegenstand modifiziert und sogar interpretiert, denn die Beziehungsveränderung bewirkt eine andere Sicht. Die Kamera kann sich neutral, beschreibend, distanziert verhalten oder aber sich engagieren, d. h., sich mit dem Blickfeld der Akteure identifizieren oder sich mit den Akteuren konfrontieren etc. (Kuchenbuch, 39).

2. **Schwenk.** Die Kamerabewegung erfolgt, analog zur Kopfbewegung, auf einer horizontalen Achse, sodass sich der Bildausschnitt ändert. Wie bei der Kopfdrehung ist die Bewegung gemessen, kann aber sehr schnell erfolgen im Reißschwenk, der fast den Eindruck eines Schnitts erweckt.

3. **Fahrt.** Die Kamera bewegt sich, wie ein Körper bzw. ein Fahrzeug, auf Gegenstände zu (Zufahrt oder Ranfahrt) oder von ihnen weg (Rückfahrt) oder bleibt in gleichem Abstand (Parallelfahrt, Verfolgungsfahrt) oder bewegt sich vertikal (Aufzugsfahrt). Häufige und schnelle Kamerabewegungen zeichnen Actionfilme aus, um Tempo und Spannung zu erhöhen.

Ausnahme: Zoom. Die Illusion einer Zubewegung oder Fortbewegung kann auch durch ein Objektiv erreicht werden, wobei die verstellbare Brennweite den Gegenstand größer oder kleiner erscheinen lässt und damit näher oder ferner; keine eigentliche Kamerabewegung.

Sonderfall: ›subjektive Kamera‹, wobei es sich um willkürlich gewählte Perspektiven und Einstellungen handelt, die spontane Kamerabewegungen simulieren und den Eindruck einer hektischen Mobilität vermitteln. Der Zuschauer soll unmittelbar an dem Geschehen teilhaben.

Beispiel einer klassischen Kamerafahrt: Friedrich Wilhelm Murnaus *Der letzte Mann*, berühmt für seine ›entfesselte

Kamera‹ (besonders in der Traumsequenz), wird eröffnet mit einer Fahrt im offenen Lift in die Hotelhalle und, nach einem unmerklichen Schnitt, fährt die Kamera auf die Drehtüre und den Portier zu. In den Blick kommt die große (soziale) Welt des Hotels und die Dynamik des städtischen Lebens, das zu beiden Seiten der Drehtüre und durch sie hindurch geschleust sich vor der Kamera abspielt. Ein lustiges, gegenteiliges Beispiel ist die Paternosterfahrt in Doris Dörries *Männer*, die eine Entlarvungsfunktion hat, was die beiden Hauptcharaktere angeht. Hier ist es die Umkehrung, die zählt, insofern nicht die Kamera fährt, sondern eine Aufzugsbewegung abbildet.

Drei Gegenstandsbewegungen sind hervorzuheben. Zu diesen Objektbewegungen gehören alle Bewegungsformen wie gehen, laufen, fahren, fliegen, werfen, schießen. Von der Kamera aus gesehen, kann (1) ein Gegenstand sich entweder aus dem Bild heraus bewegen auf den Zuschauer zu (der berühmt-berüchtigte Zug im Film der Lumière-Brüder, der aus der Leinwand in den Kinoraum zu rasen schien) oder (2) in das Bild hinein und vom Zuschauer weg (das Ende vieler Chaplin-Filme zeigt oft den komischen Tramp sich im Watschelgang entfernen). Als dritte Möglichkeit (3) ergibt sich die Bewegung parallel zum unteren Bildrand etwa von rechts nach links und umgekehrt, z.B. in Peter Handkes *Die linkshändige Frau* (1977), wo die Kamera in Stasis verharrt, wenn mehrfach Züge durch das Bild rasen. Bewegung wird zum Wahrnehmungsschrecken, zum Schemen und Symbol einer total unkontrollierbaren, menschenfernen Technik und Dynamik.

Achsenverhältnisse. Die Bewegungen der Kamera und der Figuren im Film werden als Bewegungen auf Achsen verstanden, wobei der Blick der Kamera die Kameraachse bzw. die handelnden Personen die Handlungsachse beschreiben. 1. Grundform: Beim (frontalen) Blick in die Kamera, etwa im Interview, bei einer Ansage usw. sind beide Achsen identisch, weil Handlungsachse der Person

41

(Blickrichtung) und die Achse des Zuschauers (Kamerablick) auf derselben Ebene liegen, denn die betreffende Person schaut direkt in die Kamera. 2. Grundform: Die Kameraachse schneidet in einem (rechten) Winkel die Handlungsachse. Etwa: Zwei Kämpfende stehen sich zum Showdown gegenüber, und die Kamera ist auf der Seite im rechten Winkel, gleich weit von beiden in der Position des Beobachters, distanziert und eigentlich ohne ›emotionale Anteilnahme‹ am Geschehen, das bloß registriert wird. Weil beide Figuren in ihrer Konfrontation gleichzeitig im Bild sind, ist dies ein *two shot*, also eine Einstellung, die beide zeigt und nicht eine der Figuren privilegiert. Dies ist auch eine beliebte Einstellung bei Gesprächssituationen.

Achsensprung ist eine Besonderheit im klassischen Erzählstil des Films, die Kontinuität schafft. Um die unbeteiligte Stasis des *two shot* zu vermeiden, um größere Dynamik und Anteilnahme ins Spiel zu bringen, bewegt sich die Kamera auf die Seite einer Person und filmt von dort, meist über die Schulter hinweg, sodass die andere Figur, der Gesprächspartner, nicht direkt in die Kamera schaut, sondern in einem spitzen Winkel erfasst wird. Dieser Schuss (*shot*) wir dann normalerweise vom Gegenschuss (*counter shot*) abgelöst, wo aus der Perspektive der gerade gefilmten Person dasselbe getan wird. Schuss, Gegenschuss sind ein Hauptprinzip des Filmens in der Gesprächssituation. Es kommt zu einem animierten Dialog, weil die Aufnahmeperspektiven eine starke emotionale Beteiligung suggerieren. Ebenso wichtig ist die Konstitution des psychologischen Raumes. Denn das Bild erfasst im *shot* einen Raumaspekt, der im *counter shot* ergänzt wird. Das Raumvorstellungsvermögen im Zuschauer verbindet beide Raumbilder zu einer imaginären Einheit. Dieses Raumerlebnis fördert die illusionäre Vorstellung von Realität, jenes Wirklichkeitsgefühl, das im Filmerleben so packend sein kann.

Im Beispiel aus *Metropolis* zeigt sich die Dynamik der Schuss-Gegenschuss-Methode, insofern Fredersen, der

13 Die Konfrontation zwischen Fredersen und Josephat über die Schulter gefilmt im Schuss und Gegenschuss (und Achsensprung)

Herr von Metropolis, seinen Untergebenen Josephat zur Rede stellt und ihn dann verbannt. Die Psychodynamik dieser Konfrontation ist überdeutlich im visuellen Verfahren, der Herr verurteilt seinen Diener (der dann Selbstmord begehen will, aber von Freder, dem Sohn des Mächtigen, gerettet wird). Das Intensitätspotential dieser filmischen Methode ist evident. Die Zuschauer gelangen sofort *in medias res.*

Montage ist das Verfahren, einzelne Einstellungen ihrer Länge, d. h. ihrem Gewicht nach durch Blende oder Schnitt zu verbinden und somit einen bestimmten filmischen Rhythmus zu schaffen. Eine Blende kann einen weichen, vermittelten Übergang herstellen, durch Abdunkeln, doppeltes Belichten, eine Wischbewegung usw. Montage verbindet mindestens zwei Einstellungen und ist »Organisation der Bilder in der Zeit« (Bazin).

Der so genannte **unsichtbare Schnitt** durch einen möglichst unmerklichen Übergang überwiegt in heutigen Unterhaltungsfilmen, denn die Studios der Hollywood-Großfirmen bevorzugen einen Schnitt, der dem kontinuierlichen Erzählfluss dient, ein Zeitgefühl des reibungslosen Gleitens bewirkt und emotionales Mitgehen fördert.

Montage als ausdrucksvolle Kunstmethode ist eine Errungenschaft des Kinos der zwanziger Jahre, besonders bei Sergej Eisenstein, dessen Montagekonzeption eine aggressive »Montage der Attraktionen« (Hoffmann 1995, 97) verwendet, die bewegen, wachrütteln und erleuchten soll. In seinen theoretischen Schriften und Filmen (*Streik*, *Panzerkreuzer Potemkin*, beide 1925, *Oktober*, 1927) verfolgt Eisenstein eine sehr intellektualisierte Form der filmischen Komposition, bei der die Bildkontraste gesellschaftliche Konflikte und Widersprüche reflektieren sollen. Eisenstein hat anstelle der Theorie der Attraktionsmontagen und ihrer »naiven Gegenüberstellungen« das Verfahren der Montage als dialektisches Kunstmittel eingesetzt, nämlich die Kollisions- oder Oppositionsmontage, die durch die Kollision von Einstellungen beim Zuschauer schockartig einen bestimmten Gedanken freisetzen soll (Faulstich [3]1980, 135). Der »Zusammenprall« konträrer Bildinhalte soll unversöhnliche Klassengegensätze nachweisen.

Durch die Darstellung der brutalen Unterdrückungsaktionen der Herrschenden propagiert *Panzerkreuzer Potemkin* die Unausweichlichkeit des revolutionären Kampfes. Die Unmenschlichkeit des zaristischen Systems wird in dem dramatischen Geschehen auf der Hafentreppe von Odessa evident, die zum filmisch aufgesplitterten, sechsminütigen Schauplatz gnadenloser Todesgewalt wird. Die Stufe um Stufe herabsteigenden Soldatenreihen treiben die aufgescheuchte Volksmenge vor sich her. Diese mit ihren gestiefelten Beinen im roboterhaften Stakkato-Rhythmus marschierende Soldateska schießt in die Masse der Fliehenden hinein. In raschen Bildschnitten mit wechselnden Kamerawinkeln und -einstellungen (von Totalen zu Großaufnahmen, von Nahaufnahmen und Details erneut zu Totalen) werden die Menge und ausgewählte Einzelfiguren als Opfer von Gewalt gezeigt, etwa die alte Lehrerin mit ihrem bebrillten, blutenden Gesicht oder die ihr totes Kind den Soldaten entgegenhaltende Mutter (vgl.

Abb. 12). Die rhythmisch sich beschleunigenden Bildmontagen, verstärkt durch den die Treppe herunterholpernden Kinderwagen, sind auf »emotionale Resonanz« (Eisenstein) und emotionalen Appell hin angelegt.

Aber ein Befreiungsaspekt ergibt sich, wenn eines der Geschütze des Panzerkreuzers dem Massaker einen drohenden Antwortschuss

14 Opfer der Gewalt: Das Gesicht der Lehrerin

liefert. Mit Pathos wird diese am Ende siegreiche Gegenmacht durch die Einmontierung der drei Löwenstatuen, des schlafenden, des erwachenden, des sich erhebenden steinernen Löwen, bildhaft kontrastiert (Abb. 15): »selbst Steine regen sich im Protest« (Gregor 1976, 1,106).

In dieser Montagekunst finden sich Unstimmigkeiten, etwa »alogische Schnitte« (Hoffmann 1995, 101) in der Treppensequenz, die den Tendenzcharakter und Schematismus der Konzeption von Tätern und Opfern erkennen lassen. Im Dienst der Propaganda nimmt Eisenstein provokant Partei. Obwohl die komplexe formale Struktur die Dialektik der gesellschaftlichen Verhältnisse und Geschichte transparent machen soll, sind die typisierenden Bilderfolgen vor allem so konstruiert, dass sie Emotionen ansprechen bzw. manipulieren.

Sequenzen entstehen aus der Verknüpfung von (mindestens zwei) Einstellungen, die zusammenmontiert, was Ort, Zeit, Personen angeht, in einem Zusammenhang stehen, was eine Handlungseinheit darstellt (Malraux). Im Gefolge von Christian Metz, der die Filmsemiotik aufgrund der Übernahme linguistischer Modelle etablierte, wird die aus Sequenzen bestehende Handlungseinheit auch »Syntagma« genannt, entsprechend der syntaktisch gebildeten Wortgruppe im Satz (vgl. Paech ²1978, 52–54; kritisch:

Lohmeier, 145 ff.). Die häufig gebrauchte Rede von der *Filmsprache*, die einen Sprachcharakter des Films ansetzt, ist bedingt anwendbar, wenn trotz der Differenzen zwischen Sprechen und Film als Rede das Gemeinsame, Analoge hervorgehoben wird. Lohmeier (27) fasst »Bilder als Sprechakte« auf, die wie sprachliche Zeichen eine Darstellungs-, Ausdrucks- und Appellfunktion haben.

Eine *Plansequenz* (auch autonomes Syntagma) besteht aus einer einzigen Einstellung, die sogar eine Handlungsepisode bewirken kann, etwa in Warhol-Filmen, die aus einer einzigen Einstellung bestehen. Ein *paralleles Syntagma* montiert mehrere Themen und Handlungen zu einem Sinnzusammenhang, etwa Bilder aus dem Leben der Reichen, Bilder aus dem Leben der Armen, die wie bei einem »geflochtenen Zopf« verbunden werden, unabhängig von ihren lokalen und zeitlichen Eigenheiten.

Zur Illustration einer *gewöhnlichen Sequenz*, bei der weniger interessante Vorgänge übersprungen werden, sei Paechs Beispiel (²1978, 54) angeführt,

15 In Eisensteins Montagen erhebt sich der Löwe gegen Unrecht und Gewalt

bei dem der Handlungsfortschritt unwichtige Details oder Episoden auslässt: »Die Cutterin: Jeden Morgen macht sie sich schön / Verläßt die Siedlung pünktlich / Fährt ihr kleines Auto über die Straßen / im Verkehr der Werktätigen / vorbei an Fabriken / vorbei an Baustellen / Schnitt / Schneideraum: die Tür wird geöffnet, herein tritt die Cutterin.«

Ergeben sich im Gegensatz zur Szene, wo Ereignisse in der Einheit von Ort, Zeit und Aktion geschildert werden, größere, zeitliche Diskontinuitäten bei montierten Einstellungen, dann formieren Episoden eine Sequenz. Paech gibt das Beispiel einer Gerichtsverhandlung, deren Dauer über einen langen Zeitraum in episodischen Teilen dargestellt wird. Ein komisch anmutender Sonderfall sind die Kurzsequenzen in *Lola rennt*, wenn die Titelheldin auf Figuren trifft, deren Lebenssituationen wie aus Einzellichtbildern zusammengestückelte Episoden ergeben, die wie eine mosaikartige Minisequenz reduziert und komprimiert erscheinen.

Das **filmische Bild,** zentral für die Wahrnehmung des Films, ist auf komplexe Weise kodiert, insofern die Bildinhalte verschiedene Zeichensysteme aktualisieren (vgl. Deleuze). Und während Sprache Gegenstände durch Wörter, d. h. abstrakt bezeichnet, z. B.: Haus, zeigt ein filmisches Bild ein ganz bestimmtes Haus, dazu noch aus einer besonderen Perspektive. Es ist also eine ganz andere Objekt-Wahrnehmungssubjekt-Perspektive involviert.

Kodierung durch *Architektur* als Mitteilungsmittel/-ebene zeigt das nächste Beispiel.

Das Stadtbild von *Metropolis* gibt das Bild einer der Wolkenkratzerstadt New York nachempfundenen, ins Futuristische gesteigerten Stadtansicht, die Straße auf neue Art interpretiert, insofern sogar Flugzeuge in diesen ›Straßenschluchten‹ verkehren können. Dargestellt wird aber nicht nur eine Stadt der Zukunft mit einem neuen Turm Babel, sondern soziale Verhältnisse, die im Film als deutlich hierarchische und ausbeuterische zum Ausdruck kommen: Der Herr von Metropolis ist Herrscher nicht nur über diesen riesenhaften Bereich über der Erde, son-

16 »Metropolis«: Fantastisch, überdimensional die Stadt der Zukunft mit dem neuen Turm Babel
17 Im Straßenfilm: Verlockungen und Beängstigungen in der städtischen Welt »Die Straße«

dern auch über das unterirdische Kraftwerk mit der Herz-Maschine, unter dem sich die Arbeiterstadt befindet. Das Bild betont alles Vertikale, die horizontalen Verbindungen sind sehr fragil. Es dominierten die Hierarchie und, wie der Babel-Turm andeutet, die strafwürdige Vermessenheit der Herrschaft, die am Ende des Films nach der katastrophalen Auseinandersetzung und Zerstörung zum Kompromiss genötigt wird. Dieses Filmbild zeigt also nicht nur Gegenstände (Darstellungsfunktion), sondern hat Ausdruckswerte, die an den Betrachter appellieren, interpretierend vorzugehen, Bedeutung herauszufinden, Sinn zu stiften. Dieses Bild hat, nicht nur als Standbild, eine fast fotografisch statische Repräsentationsqualität, auch wenn im Bild Dinge in Bewegung sind (die Flugzeuge, der Autoverkehr, die Eisenbahnen).

Mimik ist von Bedeutung, wenn Akteure im Filmbild auftreten und ihr Gesichtsausdruck eine ganze Skala von Ausdruckswerten (Angst, Entsetzen, Freude, Erstaunen, Zufriedenheit usw.) sichtbar und interpretierbar macht. Durch nahe Einstellungen kann der Zuschauer an eine bestimmte Emotion gebunden werden. Man denke an

48

Horrorfilme, etwa Alfred Hitchcocks *Psycho*, wo in der Duschszene die Einstellungen, 70 in 45 Sekunden (!), zudem so nah am Objekt sind, dass keine distanzierte Orientierung möglich ist. In klaustrophobischer Vereinzelung wird der Zuschauer in die erschreckende Handlung einer Mordtat visuell eingeschlossen, sodass er wie das Opfer ausweglos und unentrinnbar dem mörderischen Geschehen ausgeliefert ist.

Gestik oder Körpersprache ist ein wichtiges Element des filmischen Bildes. Im Stummfilm war gerade die Gestik, oft übertrieben, ein Orientierungs- und Führungsmittel, dem Zuschauer Bedeutung und Sinn der Handlung, aber auch Gefühlszustände und mentale Prozesse zu vermitteln. Die zum nachdenklichen Gesicht geführte Hand ist im Stummfilm wie viele andere Gebärden eine stereotype. Übertrieben, heute komisch wirkend sind Gesten wie die von Jane im *Cabinet des Dr. Caligari*, wenn sie ihren emphatischen Ausruf »Cesare!« (Zwischentitel) mit einer entschiedenen Bewegung beider Arme und Hände von oben nach unten unterstreicht und von ihren Lippen ein trotziges ›Er war es doch!‹ ablesbar ist. Es ist der entscheidende Moment, wo die ihrem Vater ergebene ›gute Tochter‹ sich vom unterwürfigen Gehorsam befreit und Unabhängigkeit, Eigenwilligkeit für sich behauptet. Das verkündet dieser Stummfilm nicht in Zwischentiteln, sondern zeigt es als Handlung, als körperlich sichtbares Geschehen eines Zu-sich-selber-Kommens der Person.

Interessant ist der Verweisungscharakter der Gegenstände im Bild, deren ›Körperhaftigkeit‹ ebenfalls zum ›Sprechen‹ kommen kann. Ein besonders animierendes Beispiel findet sich in Karl Grunes *Die Straße* (1923), wo in dieser »Geschichte einer Nacht« ein hausbackener Kleinbürger, von den Verlockungen der Straße verführt, der Faszination der Stadt erliegt. Bei seinem nächtlichen Flanieren passiert er ein Hauszeichen, das ein großes Paar Augen darstellt, die ihn plötzlich anblicken, seinen nächtliche Abenteuer suchenden Blick zurückwerfen, ihn momentan mit dem

Unheimlichen, Dämonischen der Stadt konfrontieren und seinem Begehren einen Schauder versetzen. Hier wird Sehen und Angesehenwerden auch zur Metapher für das Kino selbst, für den Film als das Gesehene, das uns Sehende ansieht beim Zuschauen.

Lit.: Kuchenbuch 1978; Paech ²1978; Silbermann 1980; Mikunda 1986; Gast 1993; Lohmeyer 1996; Korte ²2001.

4.3. Wort, Ton

Film begann als stummes Flimmern der Bilder, als Rauschen der visuellen Bewegung. Vorweg der Vorspann mit den Angaben zum Film, hintendran der Nachspann, meist nur das Wort »Ende«, so gab sich der Stummfilm. Angereichert wurde er mit Zwischentiteln, die kurze Dialoge wiedergaben, aber auch auf die Verknüpfung der einzelnen Sequenzen zur Verdeutlichung der Handlung und des oft sprunghaft vorwärtsschreitenden Geschehens hinwiesen. Im expressionistischen Film waren diese eingeschobenen Titel kunstvoll gestaltete, im Stil des Films gehaltene Wortmalereien, wie der von Jane Olfsen ausgestoßene Ausruf »Cesare!« aus dem *Cabinet des Dr. Caligari* belegt, ein Schriftzug, der den von dem Schlafwandler ausgehenden Horror versinnbildlicht. Nur selten erreichten andere Filme diese Durchgestaltung des künstlerischen Ausdruckswillens im Zwischentiteldesign. 1927 kam, mit dem berühmten amerikanischen Beispiel *The Jazzsinger,* der Tonfilm auf, der von den meisten Filmschaffenden zunächst mit Skepsis aufgenommen wurde. Aber die großen Studios sahen aus wirtschaftlichen Interessen und unter dem Druck der Großbanken in der technischen Neuerung des Tonfilms eine lukrative Kapitalanlage, die zu großen finanziellen Erfolgen führte. In Deutschland begann ab 1929 der Tonfilm den Stummfilm zu verdrängen. *Der blaue Engel* (1930) ist ein frühes Beispiel, wo nicht nur das Element der Sprache im Film zum Hör-

18 *In den Versetzungsbrief einmontiert: Die Einkleidung von
Murnaus Portier zum Toilettenmann*
19 *Am ›Sprachbaum‹ visualisiert: Caligaris Größenwahn und
Getriebensein*

erlebnis wurde, sondern auch Gesang und Musik. Dem
Ton folgte die Musik, vom bloßen Geräusch zur vollklin-
genden Orchestermusik. Eine neue Aura ergab sich, ein
neuer Realitätsaspekt, eine neue Filmwirklichkeit.
Der Film wird vom Bild bestimmt, und Sprache kann
auf der Leinwand auch als Bild erscheinen, als Schriftbild:
z. B. als Zwischentitel, als Brief, Anschlag, Zeitungsartikel
oder Schlagzeile usw.; als Lesebild: etwa der erwähnte
»Cesare!«-Zwischentitel-Ausruf in *Caligari*; oder gar als
Sehbild: »Du musst Caligari werden«, wobei diese selbst-
schreibenden Schriftzüge die innere Fixierung der Cali-
gari-Figur visualisieren, einen ›Sprachbaum‹ konfigurie-
ren. Beispiele gleichartiger »In-Schriften« im Film finden
sich in Murnaus *Der letzte Mann* (1924), wo ein Stellen-
wechselbescheid des Hotelmanagements den alten Portier
zum Toilettenmann degradiert – in das Briefbild wird seine
Degradierung einmontiert, während später sein märchen-
hafter Glücksfall einer »sensationellen Erbschaft« als Zeitungsartikel ›sprechendes Bild‹ wird.
Zeitungsnachrichten als visuelle Mitteilungsformen und
Handlungselemente sind unübersehbar in *Citizen Kane*

(1940), der Story eines Zeitungsmagnaten. Das Spiel mit der Beschriftung des Filmbildes, der In-Schrift in die Leinwand bietet Wim Wenders' *Himmel über Berlin* (1986), wo der Füllfederhalter schwarz auf weiß die Poesie des Kindseins niederschreibt: »Als das Kind Kind war, wußte es nicht, daß es Kind war«, während der Engel Damiel aus dem *Off* die Worte spricht, eine Tonquelle *hors champ*, außerhalb des Blickfeldes. Es ist ein dialektisches Verfahren, das im subjektiven Kamerablick die Zuschauer auf den Schreibakt konzentriert, während die Stimme des Unsichtbaren als Inspirationsquelle fungiert.

Ton im Film, ob als Geräusch, Sprache, Musik, wird grundsätzlich als *ON-Ton* oder *OFF-Ton* unterschieden. Entweder ist die Tonquelle (Geräusch, Sprache, Musik) im Bild (*on screen*) oder außerhalb des Bildes (*off screen*). Der Ton-Bild-Teppich dient als Grundlage eines ganzheitlichen Filmerlebens, bei dem eine »starke Realitätsanmutung« (Gast, 36) besteht. Je nach Abstimmung des Sprachlichen mit dem Ton gibt es eine integrierende bzw. verstärkende oder eine divergierende bzw. konkurrierende Tendenz der beiden Zeichensysteme. Die so genannte »Wort-Bild-Schere« (Wember, zit. bei Gast) kann entweder Geschlossenheit, d. h. übereinstimmende Tendenz der beiden Zeichensysteme, anzeigen oder aber ein mehr oder weniger großes Auseinanderklaffen dieser Schere, wenn Bild- bzw. Sprachinformation eigene, komplexe Aussagen formulieren, separate Zusammenhänge produzieren.

Als ein Beispiel für die Integration des Visuellen und der Sprache führt Gast Rainer Werner Fassbinders Verfilmung von Fontanes *Effi Briest* (1972–74) an. In der sechsten Sequenz montiert er zum Porträtfoto von Effi sie charakterisierende Passagen aus Fontanes Text aus dem *Off*, was eine sinnvolle, verstärkende Kombination und damit eine geschlossene Wort-Bild-Schere darstellt. Bei der Betrachtung des Bildes kann sich der Zuschauer ganz auf das Gesprochene und seinen differenzierten Inhalt konzentrieren, wobei die Stimme aus dem *Off* nicht bloße Distanzierungsfunktion hat. Fassbinder verwendet diese Methode mehrfach, indem er ausführliche Textzitate des *Off*-Sprechers mit ruhigen Bildern (vorwiegend Spaziergänge) verbindet.

Die Wort-Bild-Schere klafft auseinander, wenn Fassbinder in der fünften Sequenz und besonders in der wichtigen 68. Sequenz (Gespräch zwischen Innstetten und Wüllersdorf) beiden Zeichenebenen Eigenbedeutung zwar zuweist, sie jedoch auch aufeinander bezieht, wodurch das besonders Kunstvolle der Inszenierung entsteht. Dem sprachlichen Diskurs folgend sieht der Zuschauer schon dessen Ergebnis auf der Bildebene, was die Ungleichzeitigkeit der beiden Systeme deutlich macht. Obwohl damit die Schere auseinander klafft, etwas Negatives entsteht, ergibt sich doch ein Sinn, der an die Aufmerksamkeit des Zuschauers hohe Ansprüche des Nachvollzugs und Erkennens stellt: Durch das divergierende Arrangement, die Offenheit der Schere, wird die Zwanghaftigkeit des Handelns unter dem Eindruck des erstarrten preußischen Ehrenkodex (es geht um die ›Unausweichlichkeit‹ des Duells) zum Ausdruck gebracht.

Im Spielfilm des Erzählkinos hat der *gesprochene Dialog* nahezu die Oberhand, obwohl in vielen klassischen *films noirs* die *voice over narration* eine Besonderheit ist. Das Dialogische steht im Tonfilm oft in der Theater-Tradition des artikulierten Bühnensprechens: »Das zu langsame Sprechen etwa, die zu häufige Pause, der zu bedeutungsvolle Umgang mit dem Text«, was dazu führen kann, dass die Schauspieler sich mit Blicken fixieren und dieses gebannte Sprechen die lockere Fiktionswelt des Erzählfilms unterminiert. Der (gesprochene) Text dominiert die Bilder, der Zuschauer wird zum ›Leser‹, der einen Text von der Leinwand ›abliest‹, statt der filmischen »Choreographie der Figuren« zu folgen, denn die Bildebene soll ja nicht nur Dialoge illustrieren, sondern Bewegung in den Austausch der Figuren bringen: »erst diese künstliche Choreographie ermöglicht auch der Kamera, die Geschichte in ihrer reichen Sprache mitzuerzählen, durch Distanzen, durch Bewegungen, kurz: durch die Form. Die Konfrontation, die Begegnung der Figuren, ihre psychischen, seelischen Prozesse mit sich und miteinander, die sich scheinbar im Dialog kristallisieren, aber doch weit über ihn hinausgehen, zu ihm in ständiger Spannung stehen, werden so mit Bildern erzählbar« (Ernst, 112f.). Dialog im sturen Schuss-Gegenschuss-Verfahren, solche Wiederholungen der einfachsten Form, sind ein grober Missbrauch der filmischen Form, weil die Wirkung eines Darstellungsmittels durch Übergebrauch erlahmt. Es kommt nicht wirklich zum Ausdruckswert dieses Mittels, der optischen Dramatisierung und Zuspitzung der Figurenkonfrontation. Es fehlt dann an echter Wahl der Mittel und der dem Film eigenen Beweglichkeit der Bilder.

In Dialogszenen, aber vor allem in reinen Bildszenen tritt Musik zum Optischen zur Vertiefung des visuellen Eindrucks.

Filmmusik. Schon dem Stummfilm war Musik unterlegt worden. In den frühen Kinos gab es Orgel- oder Klavierspiel, auch die Dreierkombination (z. B. Tasteninstrument, Bass und Schlagzeug) oder gar das bei Premieren in den Metropolen eingesetzte große Orchester, das eigens verfertigte Originalkompositionen zur Filmvorführung spielte. Ursprünglich diente die Musik dazu, das Geräusch des Projektors zu übertönen. Aber die meist improvisierte Musik wurde alsbald abgelöst von der Verwendung musikalischer Standardformeln (*Cue-sheets*, Spezialnotensammlungen), wie etwa: »Leidenschaftliche Erregung«, oder Charakterstücken, wie »Birds« (Vögel), »Chase« (Jagd), »Children« (Kinder), »Horror« (Maas, 71, 15). Diese Musik zum Film wurde zusehends von den Produzenten und kommerziellen Großstudios als Gestaltungsmittel des Kinoerlebnisses ernst genommen. Mit dem Tonfilm ersetzte die Musik auf der Tonfilmspur die Kinosaalmusik und wurde zum integralen Bestandteil des Filmerlebens. Die Filmmusik übernahm bald eine Vielfalt von Funktionen: untermalen und akzentuieren, Stimmung herstellen, Geräusche imitieren, Bewegungen illustrieren, Emotionen suggerieren, Spannung schaffen, Affekte steigern, Bilder integrieren, Sequenzen verknüpfen, Form strukturieren, Kontexte (soziale) vermitteln, Historisches evozieren, kommentieren, karikieren, Figuren mehr Dimensionen verschaffen, psychologisieren, Raum- und Zeitgefühl herstellen oder relativieren bzw. aufheben (Maas, 34f.). Wegbereiter und Standardsetzer für die Hollywood-Filmmusik waren der aus Wien stammende Erich Wolfgang Korngold und vor allem Max Steiner (*King Kong, Gone with the wind – Vom Winde verweht, Casablanca*).

Visuelles und Aurales haben eine eigene, vielseitige Beziehung und seit Beginn des Kinos hat man versucht, Bild und Ton zu verbinden. Beim Hören von Musik assoziieren sich oft Bilder, und umgekehrt ergeben sich bei Bildvorgängen Geräuschvorstellungen, suggerierte Laute. Ein filmisches Beispiel für das ›sprechende Bild‹ sind die »Lichtschreie« der überdimensionalen Dampfpfeife in *Metropolis*, wo man beim Anblick der weißen Dampfstöße die Pfeiftöne nicht nur zu sehen, sondern auch zu hören glaubt. Die klangvolle Stille ›sprechender‹ Bilder, etwa wenn sich beim Betrachten einer Landschaft die Illusion von Lauten einstellt, wird freilich heutzutage zu oft durch untermalende Musik übertönt und damit die suggestive Klangwelt der Bilder zugeschüttet.

Filmmusik unterscheidet sich grundsätzlich als unterlegte Musik, die im *Off* gespielt wird, und als Musizieren im Film selbst, ob dargestellt als Gesang, instrumentale, orchestrale oder elektronische Musik, Volksmusik, klassische, populäre oder Musik ferner Völker. Die Kabarett-Songs der Lola Lola im *Blauen Engel* sind berühmt gewordenes Singen im Film, mit dem Marlene Dietrichs steile Karriere als Sängerin und Filmdiva begann. Ihre Gesangsnummern mit der Band auf der Bühne sind erste große Beispiele des Musizierens im deutschen Film und Vor-

20 Dampfender Ton: Die Lichtschreie der Arbeitssirene in
»Metropolis«
21 Musik als Protest: Oskar Matzerath als Quertrommler in
Schlöndorffs »Die Blechtrommel«

wegnahme des Musikfilms, der in den Opern- und Operettenverfilmungen, Film-Musicals und Schlager- und Revuefilmen seine Genres fand. Als signifikantes filmisches Zeichen fungiert das *Peer Gynt*-Zitat, das Peter Lorre als der Mörder Hans Beckert in Fritz Langs Kriminalfilm *M* wie ein verlorenes Wesen vor sich hin pfeift, bis ihn der blinde Ballonverkäufer daran erkennt und seine Verfolger aus der Berliner Unterwelt ihn stellen. Musizieren im Film ist von besonderer Ausdrucksintensität in der Art, wie in Schlöndorffs Film *Die Blechtrommel* die Hauptfigur Oskar Matzerath sein Schlaginstrument gegen die herrschenden Mächte richtet.

Das Beispiel eines filmischen *crossover* bietet Fassbinders *Die Ehe der Maria Braun* (1978), wo die verführerische Maria sich eine Stelle bei einem Großindustriellen erschlichen hat, seine amerikanischen Geschäftskunden mit den ›Waffen einer Frau‹ gefügig macht und ihren Arbeitgeber mit unverfrorener Anmache ködert. Oswald, großbürgerlicher Gourmand, erliegt seiner Angestellten, nicht ohne vorher seine (freilich illusionäre) männliche und

Klassenüberlegenheit wörtlich auszuspielen: Während aus dem *Off* der gemächlich schreitende langsame Satz eines Klavierkonzerts von Mozart ertönt, sich stimmungsvoll Oboen vernehmen lassen, setzt sich Oswald ans Klavier und intoniert jeweils die Melodien, die dann im *Off* nachfolgen, also mit Orchesterbegleitung erklingen. Dreimal zeigt er so seine Vorwegnahme des großen Künstlers Mozart; Oswald gibt den Ton an, so wie er auch in der Beziehung mit Maria, die ihn zwar sexuell und emotional zu dominieren versteht, insgeheim die Oberhand behält. Denn mit ihrem im Gefängnis einsitzenden Mann trifft er ein Abkommen, ihm Maria bis zu seinem vorzeitigen Tod aufgrund einer tödlichen Krankheit zu überlassen. Dieser Männerbund zwischen ihm und Hermann ist eine Frauenfalle, symptomatisch für die Ausbeutung der Frau im Patriarchat. Fassbinder macht nicht nur das großbürgerliche Ambiente von Oswalds Wohnung auf seine Klassenstruktur und verborgene soziale Macht hin transparent, er lässt auch Oswalds Hybris, seinen gesellschaftlichen und kulturellen Hochmut am Musikbeispiel sinnlich in Erscheinung treten.

Filmmusik besonderer Art spielt im Vorspann dieses Fassbinder-Films eine entscheidende Rolle, wird als Strukturelement signifikant. Der Film beginnt mit dem Blick auf ein Hitlerporträt, dann kommt die Stimme eines Standesbeamten, der Maria und Hermann traut. Das wird unterbrochen vom Pfeifen und der Explosion einer Bombe, vom Klirren der Glasscherben. Beim Durchblick durch die Mauer des Standesamts schaut Maria von innen in die Kamera, sagt »Ja«. Nach der Flucht aus dem Gebäude erscheint in Großaufnahme das auf dem Kopf stehende Aktenblatt der Heiratsurkunde mit dem Datum darauf. Die gerade Angetrauten stürzen aus dem Standesamt, aber nicht in Richtung Luftschutzbunker, sondern sie werfen sich vor dem beschädigten Gebäude auf den Boden, und Hermann zwingt den Beamten, die Urkunde zu unterschreiben, während eine Vielzahl von Blättern, vom Explosionsdruck durch die Luft getrieben, plötzlich im Flug angehalten wird: Das Bild ist gestoppt. Weiter aber geht der Ton, Musik und Babygeschrei, Flugzeuglärm, Maschinengewehrgeknatter, Explosionen, Sirengengeheul (einer Entwarnung), Glockengeläut, fahrende Jeeps, Lokomotivengeräusch. Beethovens Neunte Sinfonie, der langsame Satz, Streicher, ernsthafte Stimmung. Das angehaltene Bild füllt sich mit (blut)roten Schriftzügen, wie ein Teppich.

Dies ist ein Paradebeispiel der dialektischen Bild-Ton-Beziehung: Bildlich erscheint der von Hitler geführte Krieg, der sein Volk ins Verderben führt, als ein Chaos, verdeutlicht von der grotesken Fortsetzung der standesamtlichen Prozedur, die eher Regimeunterwerfung als natürliche Selbstbewahrung verdeutlicht. Gegenüber dieser zukunftslosen Stasis führt der Ton die harte Konfrontation von Zerstörung und Friedenserwartung durch. Dem Abklingen der Kriegsgeräusche steht gegenüber die Melancholie der Musik. Es ist nicht das Freude und Utopie feiernde Ende der Beethoven-Sinfonie, das erklingt, sondern die stimmungsgeladene Bedachtsamkeit des langsamen Satzes, der sich als Radioübertragung entpuppt, als die Sendung von einer Vermisstensuchmeldung unterbrochen wird. Kulturgut und Wirklichkeit spiegeln die Verheerungen des Krieges wider. Das gestoppte Bild erweist sich als Trauerfermate, die in eine ungewisse Handlung (Suchmeldung) übergeht. Fassbinder hat Ton und Bild kontrapunktisch zur Geschichtserhellung eingesetzt. Die Figuren handeln nicht. An ihnen vollzieht sich Geschichte, da sie ohne authentische Eigenständigkeit sind (vgl. *Sequenz no. 2*, 159 ff.).

Dieses Ausgeliefertsein wird im Film fortwährend im Ton deutlich. Immer wieder hört man das harte Rattern von Presslufthämmern, die sowohl Abbruch als auch Wiederaufbau signalisieren und zugleich als Geräuschkulisse die unaufhaltsamen Umwälzungen der Wirklichkeit indizieren, an der die Personen des Films kaum Anteil haben, sondern von ihnen überrollt werden. Kein Wunder, dass

Maria, die opportunistische ›Mata Hari des Wirtschaftswunders‹, am Ende in ihrer Luxusvilla einer (selbstverschuldeten) Explosion zum Opfer fällt. Diese Generation der den Krieg Überlebenden ist zukunftslos angesichts der Negativfaktoren deutscher Geschichte: der restaurativen Adenauerzeit, der Remilitarisierung, der vom Faschismus mitbestimmten Kontinuitäten. Diese sind symbolisiert in den Kanzlerporträts im Abspann des Films: polemisch ausgenommen von den Negativen Adenauers, Erhards, Kiesingers und Schmidts, und in einem Positiv ergänzt ist Willi Brandt, der Exildeutsche und andere Kanzler.

Die Norm der Filmmusik ist affirmativer. Die von Max Steiner standardisierte »klassische Hollywoodsinfonik«, erstmals im Film *King Kong* (1933) erfolgreich eingesetzt, ist musikalisch komplex, aber dient den Verstärkungstendenzen des Ausdrucks und der Publikumswirksamkeit. Musik wird in der Traumfabrik zur seelischen Bearbeitungsmaschine. Die Begleitmusik zu einer Szene aus *The Searchers* (*Der schwarze Falke*, 1956) verdeutlicht diese Funktion. Der Held des Films, Ethan (John Wayne), besucht ein Jahr nach dem Bürgerkriegsende seinen Bruder und dessen Frau Martha (seine heimliche Liebe) auf ihrer Farm im Westen gerade zur Zeit, als Viehdiebstähle die Gegend verunsichern. Mit Leuten der Bürgerwehr und Marthas Adoptivsohn Martin macht sich Ethan auf die Suche, findet das von Indianern getötete Vieh und erkennt zugleich, dass man sie nur von den Farmen weggelockt hat. Bruder und Frau und zwei Töchter sind ziemlich schutzlos einem sicheren Überfall ausgesetzt. Die Musik untermalt im Folgenden zweierlei: den verzweifelten Versuch Martins, zur Farm zurückzugelangen, und die dortige unheimliche Stille und Spannung vor der Attacke durch die Indianer (Maas, 101 f.).

Das Tempo und die Dramatik von Martins Aufbruch werden von Steiner mit einem viertönigen, in stark betonten Vierteln schnell aufwärts sequenzierenden Bläsermotiv mit darüber gelegtem schrillem Violinton unterstrichen. Kontrastierend dazu führt der alte Mose Harper, ein Mischling, der mit Ethan, der sein erschöpftes Pferd versorgt, zurückgeblieben ist, einen »Indianertanz« auf, der von Vierteln in Trommel und Kontrabass begleitet wird, während eine menschliche Stimme eine abfallende kleine Terz wiederholt: ein typischer filmmusikalischer Anklang, die Reduktion einer komplexen Musik auf eine Klischeevorstellung: Trommeln und die Vokalise »hu« als Stereotyp für Indianermusik. Grob unterbindet Ethan diese komische Ablenkung mit einem Fußtritt. Gedankenverloren schaut er in die Kamera, das Liebesthema, ihm und Martha zugeordnet, erklingt in Moll, was andeutet, dass er der Gefahr inne ist, in der sie schwebt. Leitmotivisch erklingt dieses Thema der Solovioline noch, als zum Bruder übergeblendet wird, verbindet also zwei Szenen, schafft Kontinuität, verbindet aber auch Ethans Position des außen stehenden Abenteurers mit der Welt der Ansässigen.

Die folgenden Einstellungen zeigen diese Pionierwelt in Gefahr, musikalisch ausdrucksvoll gestaltet, als der Bruder sein Gewehr holt und Ausschau hält: tremolierende Violintöne, Klangbänder (z. T. starr wechselnd in zwei Klanghöhen), Tonwiederholungen (eines tiefen Tones). Die Spannung wird gesteigert durch ein Crescendo. Plötzlich fliegt ein Schwarm Vögel auf, Signal für eine Gefahr im Anzug. Das Crescendo am Schluss endet in einem Akzent mit Bläsern und Trommel, der einen nur im Bildhintergrund sichtbaren, dramaturgisch aber höchst wichtigen Lichtpunkt hervorhebt: Das aufblitzende Licht verrät die Anwesenheit der Indianer. Das abfallende Tritonusmotiv der Flöte erweist sich im Fortgang als dem Häuptling Schwarzer Falke zugeordnetes Leitmotiv. Dessen und Ethans Leitmotiv stehen im Kontrast und unterstreichen musikalisch die Konfliktstruktur der Filmhandlung. Die Musik, in Dienerfunktion, hat klaren Illustrations- und Verdeutlichungscharakter.

Gegen diese Subordination der Musik unter den Zwang

zur dramaturgischen Sekundierung haben Hanns Eisler und Theodor W. Adorno polemisiert (kritisch dazu de la Motte-Haber). Sie erwarten von der Filmmusik Authentisches, Autonomes und Modernität. Steiners Musikästhetik ist dem späten 19. Jahrhundert verhaftet, schwelgt in opernhafter Ausdruckshaftigkeit, ist verwandt mit Wagners Gesamtkunstwerkkonzeption, ohne dessen Rang zu erreichen. Eisler und besonders Adorno verwerfen die Parole, Filmmusik soll man nicht hören, und wenden sich gegen simple Leitmotivtechnik, obwohl beider Opposition zum Leitmotiv die vielseitige Anwendung dieser Methode unterschätzt. Eisler will eine hörbare, d. h. eigenständige Filmmusik, die mit der Bildwelt und Sprechhandlung in einen Dialog treten soll, anstatt nur zu dienen und zu illustrieren oder gar Klischees zu verbreiten (*stock music*), etwa eine Mondscheinnacht durch ein aufdringliches Arrangement von Beethovens *Mondscheinsonate* oder die zu häufige Verwendung des Tremolo-Steg-Effekts zur Erzeugung unheimlicher Spannung. Statt Stereotypik will Eisler die Verwendung des Materialreservoirs der neuen Musik. Beispiel ist seine Musik zu dem kollektiv geschaffenen Film *Kuhle Wampe* (1932, Brecht, Eisler, Dudow, Ottwald). In der Eingangssequenz wird die Jagd der Arbeitslosen nach Arbeit dargestellt. Eisler begleitet ihre Wettfahrt auf Fahrrädern, eine mit raschen Schnitten verfertigte Montage, mit einer ebenso dynamischen Musik, die das Vergebliche in der musikalischen Form, einem Rondo, unterstreicht: »Das rondotypische stete Wiederkehren des Refrains stiftet Beziehung zur stetigen Wiederkehr der (erfolglosen) Jagd nach Arbeit« (Maas, 213). Eislers kammermusikalisch transparente Musik zu Alain Resnais' *Nuit et brouillard* (*Nacht und Nebel*, 1956), einem Film, der sich mit den Konzentrationslagern auseinander setzt, behauptet ebenfalls Eigenständigkeit als Gewähr künstlerischer Autonomie.

Die Musik in Werner Herzogs *Aguirre, der Zorn Gottes* (1972) fungiert als Kontrapunkt zu dieser Geschichte spanischer Conquistadores auf ihrer katastrophalen Suche nach dem sagenhaften Land El Dorado in Peru um 1590. Der Film erzählt parabolisch vom europäischen Kolonialismus, macht seine ausbeuterische, rassistische, imperiale Struktur kritisch transparent. Im exzessiven, größenwahnsinnigen Machttrieb Aguirres werden auch jüngste deutsche Vergangenheit, Hitlers Führerprinzip und faschistische Herrschaftspolitik, Rassenideologie und Expansionsgelüste reflektiert. Die Filmmusik, eine elektronische Sphärenmusik, stammt von der Gruppe »Popol Vuh«, die anfangs in fast sakralen Klangflächen das erhabene Schauspiel des Abstiegs aus den wolkenumgrenzten Bergen in die Tiefen des Dschungels begleitet. Später fixiert die Kamera fast minutenlang den rauschenden Fluss, der die reißende Zeit symbolisiert. Diese Schicksalshaftigkeit wird von der Musik in melancholisch abwärts führenden Schrittmotiven verdeutlicht. Die Musik grundiert auch den von der farblichen Opulenz getragenen Film, der eine Vielfalt von Zeichen setzt, welche die tödliche Finalität allen Handelns und Geschehens aufscheinen lassen, etwa in den rostangefressenen Rüstungen, die das Fremdkörperhafte der Eindringlinge plastisch vor Augen führt, akzentuiert von explodierenden Munitionsfässern, Kanonendonner und Musketengeknalle. Die natürliche Geräuschkulisse, das scharfe Pfeifen und Schreien der Dschungelvögel, das Schwirren der Eingeborenenpfeile und vor allem die oft unheimliche Stille einer Natur, die dem Eroberungswillen widersteht, machen die Fahrt den Fluss hinunter zur Allegorie einer scheiternden *navigatio vitae*. Am Ende bleibt nur Aguirre auf einem leichenübersäten Floß übrig, erschöpft, halluzinierend, vom Irrsinn gezeichnet, Sinnbild des Verderbens und der Vergeblichkeit machtlüsternen Größenwahns.

Herzog benutzt die Figur eines die peruanische Panflöte spielenden Eingeborenen, um den Zusammenhang von Kunst und Herrschaft im totalitären Machtbereich zu verdeutlichen. Mehrfach zwingt Aguirre den Flötenspieler, in

22 *Macht und Kunst: Aguirre und der peruanische Flötenspieler*
23 *Der Flötenspieler frontal wie im Dokumentarfilm*

brenzligen Situationen aufzuspielen, etwa nach dem ersten
coup d'état, bei dem er die Macht vom Expeditionsleiter
Ursúa übernimmt, wobei der melodische Flötenton sich
gleichsam unter dem Druck der (politischen) Gewalt ins
nahezu Unhörbare entstellt. Ein zweites Mal, als Aguirre
dem Spieler auf dem Floß gebietet, für die Männer zu spielen, denen die Angst vor den todbringenden Giftpfeilen
vom Ufer im Nacken sitzt, ist der reine Flötenton ebenfalls
verzerrt. Beim letzten Mal, vor seinem Verschwinden,
blickt der versklavte Spieler nach dem Ende seines Spielens
genau in die Kamera, lange, viel zu lange für einen historisierenden Spielfilm. Auffallend ist hier ein Genrewechsel
zum ethnografischen Dokumentarfilm, der die Spielfilm-
illusion durchbricht und die Zuschauer mit einer Person
konfrontiert, die für das im anthropologischen Blick sich
zeigende Andere einsteht. Angedeutet ist in diesem Augenblick ein Heraustreten aus der geschlossenen Sphäre
der eurozentrischen Macht und kolonialen Gewalt, ein
kurzer Moment, wo der Film das utopische Potential des
Entkommens anvisiert, wo eine postkoloniale Kritik am
Bestehenden antizipiert wird.

5. Methoden der Filmanalyse

Rezeption geht der Filmanalyse voraus. Die erste Stufe ist die unreflektierte Aufnahme: emotionales Mitgehen, Unterhaltensein, uneingeschränktes Genießen oder Gelangweiltsein oder auch Schockwirkung, Horror, Unglaube, Verstörtsein, um Extrempole des Filmerlebens zu nennen. Nach der ersten Aufnahme, Anmutung oder Betroffenheit, vom Desinteresse oder gar Angewidertsein einmal abgesehen, stellt sich die Frage nach der Aufarbeitung des Gesehenen über die Schnellbeurteilung hinaus. Dieses Reflektieren auf das Filmerlebnis, den Film, sucht im Nachdenken Klärung oder kritische Auseinandersetzung, die nachvollziehbare Einsichten, begründbare Urteile und mitteilbare Erkenntnisse anstrebt.

Schrittweise Interpretation, etwa im Unterricht oder Studium, verlangt ein bestimmtes Vorgehen, eine bestimmte Arbeitstechnik, die bei der kritischen Durchdringung eines Films in der Filmanalyse gang und gäbe sind. Zunächst ist wichtig das Kinoerlebnis. Denn das Sehen eines Films im verdunkelten Kinosaal ist wahrnehmungspsychologisch von ganz besonderer Art. Der Zuschauer erlebt die Vorführung nicht wie im Theater als Schauspiel, das nie vollständige Illusion ist, dadurch dass die Bedingungen des Zuschauens im Theater einem totalen Sich-Hineinversetzen in die Bühnenhandlung entgegenstehen. Im Kinosaal dagegen wird Film als etwas Intimes erlebt, dem eine Erotik des Schauens eignet. Dies ist nicht mit dem Fernsehen vergleichbar. Weder Größe noch Qualität des Bildes kommen der Aufführung und dem Sehappell und Sexappeal im Kino gleich.

Spontaneindrücke nach der Vorführung sind aufzuzeichnen, nicht nur die gefühlsmäßigen Reaktionen, sondern auch Gedanken, Fragen und Dinge, die aufgefallen sind, etwa Besonderheiten des Films, Bezüge zu anderen Filmen, was bei einer reflektierten Überprüfung auf Form- und Strukturfragen, aber auch auf Intertextuelles hinführen kann. Das Spontane enthält zudem intuitiv Gespürtes, das wichtige Aspekte erfasst, die sich oft bei einem sogar angestrengten Nachdenken nicht einstellen. Natürlich lenkt sich der Blick auch auf Handlung, Figuren, Beziehungen, Konflikte, Musik, Ausstattung, Bildsprache, Stil und Fragen, was der Film aussagen will/soll.

Das Filmprotokoll als eine Aufzeichnung der Handlung im Sinne einer literarischen Inhaltsangabe ist ein für die Analyse hilfreiches Mittel, den Film seinem Aufbau, seiner Form und Handlungsstruktur nach zu verstehen. Das eigentliche Sequenzprotokoll unterteilt die Handlung in ihre Phasen, d. h. Sequenzen, die sowohl beschrieben als auch zeitlich gemessen werden können. Bei einer linearen Struktur ist dieses Sequenzprotokoll eine Handhabe, die Filmhandlung genauer zu analysieren und zu verstehen. Ist die Struktur jedoch komplexer durch elaborierte Bauformen wie Rückblenden und Sprünge, die Dinge und Ereignisse aussparen, welche vom Zuschauer eingebracht werden müssen, so ist eine diskontinuierliche Form zu durchschauen und entsprechend aufzuarbeiten, um die Filmhandlung richtig nachzuvollziehen. Manche Filme sind bewusste Verwirrspiele, etwa *Lola rennt*, wo durch das Prinzip der Variation schockierende und zugleich faszinierende Wirkungen erzielt, aber auch Aussagen zum Leben, Zeitgefühl und Schicksalsgedanken gemacht werden.

Die Methoden der Filmanalyse folgen ganz bestimmten theoretischen Konstrukten, die sich im Laufe der Filmgeschichte und der kritischen bzw. wissenschaftlichen Auseinandersetzung mit dem Phänomen Film und Kino herausgebildet haben. Die folgende Einteilung berücksichtigt diverse Fragestellungen, die von jeweils verschiedenen Standpunkten aus filmanalytische Annäherungen bestimmen.

5.1. Die biografische/zeitgeschichtliche Methode

Film ist ein Kollektivprodukt für ein Massenpublikum. Eine bestimmte historische Phase, den deutschen Film der zwanziger Jahre als Kollektivarbeit, hat Lotte Eisner (24) so charakterisiert: »Die fruchtbare Zusammenarbeit bedeutender Regisseure, großer Filmarchitekten, Kameraleute und ausgezeichneter Autoren hat zu den hervorragenden Werken der deutschen Filmkunst geführt. Jeder konnte in den Regiesitzungen zu Wort kommen, Vorschläge machen. Unendlich viel wurde ausprobiert, mitunter wieder verworfen.« Angesichts dieser Zusammenarbeit ist es problematisch, Regisseure zu privilegieren, ihnen einen völlig eigenständigen Status zuzubilligen. Denn trotz der zentralen Funktion, die sie beim Machen von Filmen ausüben, sind Regisseure nicht wie Schaffende in anderen Künsten (Literatur, Malerei, Bildhauerei, Musik) allein bestimmende Künstler.

Die Aussagen von Regisseuren zu ihrem Werk und zum Film, man denke an Antonioni, Eisenstein, Fassbinder, Fellini, Godard oder Wenders, sind Statements von Ausübenden, die zwar auch dem Biografischen zuzurechnen sind, aber weiter reichen und Filmkunstreflexion darstellen. Es hat jedoch Sinn, auch Regisseure von der biografischen Seite her in ihrer Kreativität und Beziehung zum Medium Film erfassen zu wollen. Denn sie setzen ihre künstlerischen Vorstellungen ins Werk, wenn auch unter Mithilfe einer großen Mitarbeiterschaft. Die vielen Biografien bedeutender Regisseure beweisen zudem das Interesse an ihrem Leben und seiner Beziehung zu ihrem Schaffen und Werk.

Die biografische Methode sucht Material, das zum Filmverständnis in Relation steht. Ein biografisches Detail, das Lotte Eisner (97) in ihrer Darstellung von F. W. Murnaus *Nosferatu* anführt, ist die »Veranlagung« des Regisseurs im Zusammenhang mit dem »unmenschlichen Paragraphen 175 des Strafgesetzbuchs«. Zunächst scheint die sexuelle Orientierung des Regisseurs keine besondere Bedeutung im Hinblick auf sein Filmschaffen zu haben, obwohl Eisner auf Murnaus *Faust*-Verfilmung hinweist. Auch *Nosferatu* zeigt Aspekte, die auf eine Rückkoppelung an Murnaus konfliktreiche innere Situation schließen lassen. Der Film *Nosferatu* ist kein dezidiert homoerotisches Zeugnis, und diese Thematik wird nicht offen zur Sprache gebracht wie in neueren Filmen, etwa in der flapsigen Filmkomödie *Der bewegte Mann* (1994) von Sönke Wortmann, wo Schwulenklischees auf lustige Art serviert werden und Homosexuellen-Beziehungen inspirierter anmuten als Hetero-Verhältnisse.

Versteckte, biografisch interpretierbare Botschaften finden sich in Murnaus Kunstwerk vom unerlösten Vampir. Zwischen dem Makler Knock und dem Grafen Orlock werden geheimnisvolle Briefe gewechselt. Diese Geheimnisse sind von Sylvain Exertier im Sinne mysteriöser okkulter Praktiken aufgeschlüsselt worden (Murnau 1987), lassen sich aber auch verstehen als Signale, dass Zuschauer das Visuelle auf Verborgenes hin lesen sollen, etwa im Hinblick auf die Geschlechterambiguität der Figuren (vgl. Kuzniar, 30). Hutter, der Nichtsahnende, der zum Nosferatu in die Karpaten reist, wird nachts Opfer des Vampirs. Bettszene und Heimsuchung tragen die Merkmale einer Initiierung. Ellen, Hutters Frau, hat – ein Glanzbeispiel der handlungsfördernden Parallelmontage – eine telepathische Schockerfahrung, indem sie in dem Moment in der fernen Heimatstadt erwacht, als der Vampir Hutter im intimen Körperkontakt, dargestellt als Schattenspiel, überwältigt. Stan Brakhage hat in dem Film Murnaus frühe Mutterbindung aus den Kindheitstagen entdecken wollen (Murnau 1987), und diese Abhängigkeit elaboriert den homoerotischen Aspekt, der der Nosferatu-Gestalt eignet. Der nicht sterben können de Vampir, der Ellen wie ein Baby die Mutter sucht und fixiert ist, enthüllt unter der Oberfläche des Films die Veranlagung, mit der Murnau nach Eisner in einer feindlichen Umwelt zu kämpfen hatte.

24 Ellens Liebesbotschaft in »Nosferatu«
25 Der (liebes)süchtige Vampir-Säugling

Die Mutterfixierung wird im Film visuell überdeutlich, wenn der verzweifelt säuglingshafte Nosferatu hinter dem Gitterfenster sehnsuchtsvoll zu Ellen hinüberstarrt, als sie ihm die Botschaft »Ich liebe Dich« ins Kissen stickt und, beide Fensterflügel aufreißend, sich ihm offeriert. Es ist das Drama der Bilder, das Begehren eindringlich inszeniert. Diese künstlerische Darstellung menschlicher Existenz im Konflikt mit der Veranlagung ist dem Film eingeschrieben als etwas, das interpretierbar wird aus der Wechselbeziehung von Biografie und Werk (vgl. Murnau 2003).

Allgemein betont Faulstich die Probleme der biografischen Methode, wenn sie komplexe Bedeutungskonstituenten vereinfacht und in ein simples Beziehungsschema presst. Er stellt aber überzeugend an Kindheitserlebnissen von Steven Spielberg dar, wie die Erfahrungswelt des Regisseurs in sein filmisches Werk hineinverlängert und thematisiert wird (Faulstich 1988, 30ff.). Ähnlich hat Wim Wenders auf seine Kindheitserfahrungen im Kino bzw. mit einer Filmkamera reflektiert. Seine filmische Schaulust, die flanierende Kamera seiner frühen Filme, ist von dieser Vorliebe und diesen Grunderfahrungen mitbestimmt (vgl. Kolker/Beicken). Bei Fritz Lang hat seine frühe Malerei und Bildhauerei nachhaltig auf seine Vorlieben bei Filmausstattungen eingewirkt (vgl. Schönemann). Aber selbst beim Autorenfilm ist es problematisch, das Biografische als fraglosen Einstieg in die Filmanalyse zu verwenden. Film ist nicht nur ein Persönlichkeitsdokument seines Regisseurs.

Zeitgeschichtliche Verhältnisse sind u. U. Teil des biografischen Umfeldes oder der Lebenssituation des Filmemachers. Fassbinders sexuelle Orientierung ist von Bedeutung in seinem Film *Faustrecht der Freiheit* (1975), wo er die Hauptrolle spielt, einen märchenhaften Lottogewinn zerfließen erlebt und am Ende glanzlos stirbt. Sein Unbehagen an den sozialen und politischen Verhältnissen in der Bundesrepublik in den späten siebziger Jahren hat Fassbinder auf seine Weise in der Episode in *Deutschland im Herbst* (1978) problematisiert. Diese Reibung am Zeitgeschichtlichen hat seine Auseinandersetzung mit der Vorgeschichte und der Gegenwart der Bundesrepublik in Filmen wie *Die Ehe der Maria Braun* (1979), *Lili Marleen* (1981), *Lola* (1981) mitgeprägt, wobei *Maria Braun* vor allem die Kontinuitäten der Vergangenheit in der bundesrepublikanischen Wirklichkeit zum Vorschein bringt (vgl. Kaes 1987).

Das Zeitgeschichtliche zusammen mit dem persönlichen Engagement des Regisseurs kann, wie in Michelangelo Antonionis *Zabriskie Point* (1969), zur Politisierung des Filmischen führen. Der italienische Filmemacher war berühmt für seine Studien moderner individueller und gesellschaftlicher Entfremdung, etwa in *L'Avventura* (*Die mit der Liebe spielen*, 1960) und *Il deserto rosso* (*Die rote Wüste*, 1964). In *Zabriskie Point* hat er seine sympathisierende Sicht der amerikanischen Jugend- und Studentenbewegung in einem zumeist oberflächlichen Opus zum Ausdruck gebracht, wo er der Aufbruchstimmung der Hippies und dem radikalen Umwälzungsbestreben der politisierten Studenten Tribut zollt. Antonioni vermag aber seinen eigenen intellektuellen Standort nicht mit der amerikanischen Szene zu versöhnen und eine politisch und künstlerisch überzeugende Filmwelt zu schaffen (vgl. Rodenberg in: Korte ²2001).

Zeitgeschichtliche Relevanz zeichnet auch Margarethe von Trottas und Volker Schlöndorffs *Die verlorene Ehre der Katharina Blum* aus. Heinrich Bölls Erzählvorlage war entstanden aus den Kontroversen um die Verfassungsrechte der »Baader-Meinhoff-Bande«, die er verteidigte. Der Film nimmt Partei gegen eine korrupte Staatsgewalt, die im Verein mit einer diffamierenden Sensationspresse Hetzjagd auf vermeintliche Staatsfeinde macht. Bölls polemische Absicht im Meinungsstreit wird vom Film in Szene gesetzt, wenn Machenschaften der Polizei, Staatsanwaltschaft und der den herrschenden Interessen dienenden Presse bloßgestellt werden. Sowohl im Handlungsgeschehen als auch in der Bildgestaltung werden die undemokratischen Verfahrensweisen der Staatsorgane und des Medienapparates enthüllt. Die naiv-unbescholtene Hauptfigur durchläuft eine Schnellentwicklung hin zur Entscheidungsbereitschaft. In einer als Notwehrreaktion begreifbaren Tat erschießt sie den sie belästigenden Sensationsreporter Tötges, im Film motiviert durch ihr verletztes Ehrgefühl und ihren kompromisslosen Gerechtigkeitssinn. Die Verfilmung, für deren Drehbuch Böll konsultiert wurde, übersetzt die emotionale Polemik des Autors in eine ebenfalls polemische Bildsprache, die statt differenzierende Ideologiekritik zu üben einer vereinfachenden Politisierung verfällt. Eine fragwürdige Bilanz des Filmes ist die Tatsache, dass die gesetzeswidrige Vorgehen staatlicher Gewalt und die Übergriffe der Presse nicht vor Gericht eingeklagt werden, sondern dass der Film selbsthelfender Gewalt das Wort redet, ein bezeichnendes Misstrauensvotum gegen die Gewaltenteilung der Demokratie und die Justiz der Bundesrepublik. Die politische Konfliktstruktur dieses Films zeigt, wie Zeitgeschichte zum Problemfaktor werden kann, wie diese brisante Thematik in der Filmanalyse aufgearbeitet werden muss, um den Inhalt über die bloße Fabel hinaus zu erfassen.

5.2. Die formale Methode

Filmform ist eine komplexe, diffizile Angelegenheit. Form wird oft als Gegensatz zum Inhalt gesehen, eine vergröbernde Vorstellung, die nicht erfasst, dass Form auch vom Inhaltlichen abhängt. Form hat sich im Laufe der Filmtradition in zahlreichen Konventionen der Gestaltung herausgebildet und verfestigt, auch wenn diese Formen in einem dauernden Flux stehen. Zwischen Bildformen und Erzählformen ist zu unterscheiden, abgesehen von den Konventionen des Tones, vor allem der Musik. Filme setzen Konventionen voraus, variieren sie permanent, negieren sie bisweilen unter dem Neuerungsdruck des kommerziellen Kinos, wo allerdings auch Formtraditionen oft zum Klischee erstarren. In selbstbewussten, künstlerisch ausgerichteten Filmen der Avantgarde werden überlieferte Formen der Bildsprache und des filmischen Erzählens oft aus Notwendigkeit des experimentellen Filmens heraus mit Elan unterlaufen, verändert, transponiert.

Das **Schuss-Gegenschuss-Verfahren** (*over-the-shoulder-shot*) ist ein Formelement, das dem Film schon lange, fast wie eine Naturgegebenheit angehört. Dieses Prinzip der Darstellung von Gesprächssituationen dient der Involvierung des Zuschauers. Entweder werden die Partner durch Wechsel des Kamerastandpunktes (und durch Schnitte) im Hin und Her des Gesprächs vorgeführt, oder aber die Kamera bewegt sich, um in einer Plansequenz (ohne Schnitt) das Mit- und Gegeneinander der Figuren durch wechselnde Perspektiven einzufangen (vgl. Korte [2]2001).

In dem ersten Beispiel aus *Der Malteserfalke* (1940) wird, nach dem Vorspann des Films, der die Golden-Gate-Brücke in San Franzisko zeigt, der Privatdetektiv Sam

26 Spiegelverkehrtes zum Entziffern im »Malteserfalken«
27 Detektiv Sam Spade und sein Blondchen

Spade in seinem Büro vorgeführt, ein selbstsicherer Mann, der seine eintretende Sekretärin jovial mit »Sweetheart« anredet, als wäre es eine Berufsbezeichnung. In einer Reihe von Schnitten werden die Schuss-Gegenschuss-Bilder der Kamera montiert. Es sind nicht die jeweils exakt subjektiven Blicke der beiden Figuren, sondern die Kamera realisiert Einstellungen, die vom eigentlichen Blick der Figuren leicht verschieden sind und ein ›Über-die-Schulter-Sehen‹ oder eine Variation davon darstellen (Bordwell ⁵1997). Besonders interessant ist vor diesem Gesprächsaustausch, der den Detektiv in seinem Büroalltag als ›zu Hause‹ zeigt, der Blick durch die Glastüre nach draußen, wobei auf dem Glas in spiegelverkehrter Schrift die Namen der beiden Partner ablesbar sind: Spade and Archer. Das Spiegelverkehrte verlangt vom Zuschauer ein entzifferndes Lesen, was eine Einübung in das Aufnehmen und Lesen dieses Films darstellt. Eine verkehrt sichtbare Welt der Erscheinungen muss dekodiert, muss entschlüsselt werden, eine Detektivarbeit sozusagen: der Zuschauer als Detektiv im Krimi. Mit filmisch inspiriertem Spürsinn entschlüsselt der Zuschauer sowohl die Spiegelschrift als auch den restlichen Film, die Beziehungen und Geheimnisse der Figuren, die verborgenen Aspekte von Handlung und Geschehen.

Die **orientierende Einstellung** (*establishing shot*) wird im Prinzip meist zu Beginn von Filmen oder Sequenzen gegeben, obwohl Neuerungstendenzen den Zuschauer eines Films mit Naheinstellungen oder gar Großaufnahmen oft *in medias res* führen, um ihn gleichsam überblickslos in ein Geschehen einzufangen. Ein Film wie *Lola rennt* beginnt einfallsreich im Vorspann mit pendelschwingender Uhr, Masken, einer sich durchs Menschengewühl schiebenden Kamera, die aus der Vogelperspektive zurückschaut, Texten, als Schriftbild oder gesprochen, die philosophische Fragen von Sein und Zeit, Leben und Schicksal, Spiel und Zufall aufwerfen. Dadurch wird nicht nur visuell eine Art Überblick suggeriert, sondern auch ein mentales Panorama geboten, obwohl die Art der Präsentierung schon ahnen lässt, dass es mit der Zuschauerüberlegenheit nicht weit her ist, denn Bild, Ton, Sprache, Figurenensemble und Bewegung sind nicht harmonisch auf Konkordanz abgestimmt, sondern hektisch und suchend im Beat der Techno-Musik. Eher ziellos als vergewissernd ergeben sich Spannungen, Dissonanzen, gestörte Erwartungshaltungen. Die temporeichen drei Erzählvarianten des Films in Anlehnung an Akira Kurosawas *Rashomon* (1950) bestätigen diese postmoderne Verunsicherung des Sinngefühls. Der Film hat eine fast vorhersagbare Überraschungsstruktur, die das Antizipierte auf geschickte und trickreiche Art unerfüllt lässt und stattdessen Unerwartetes, aber keineswegs total Unvorstellbares präsentiert. Zufall, der hier Fall wird. Oder Schicksal. Oder Kunst als Entwurf des Möglichen. Ein Beispiel für dieses Spiel mit dem Unerwarteten und Unvorstellbaren ist die Begegnung mit dem Penner, der Mannis Tasche mit dem Geld in der U-Bahn an sich genommen hat, dem Manni aber zufällig wiederbegegnet, dem er dann die Tasche abjagen kann, obwohl er ihm zum Schluss seinen Revolver übergibt auf die Gefahr hin, von dem Penner bedroht oder gar erschossen zu werden. Risiko und Schicksal – in der Spielphilosophie des Films ist das Rad der Fortuna nichts Fremdes, sondern mitbestimmt vom menschlichen ›Einsatz‹. Nicht zufällig spielt Lolas Kasino-Glück in der dritten Episode des Films diese Rolle von Wagnis und Gewinn, wo ihr Einsatz (verstärkt auf die Weise des Blechtrommlers Oskar) durch ihr gläserzerreißendes Schreien ungehindert zum Erfolg führt.

Filmerzählen im Erzählkino folgt den Mustern einer der Literatur nachgebildeten Erzählkunst. Die *Story* beherrscht den kommerziellen Erfolgs(spiel)film. Manche Typologien werden sogar auf Einfachschemas reduziert: ›boy meets girl‹. Das ist ohne jene Ironie, die Heinrich Heine poetisch in seine Formel »Ein Jüngling liebt ein Mädchen« gefasst hat. Anfang, Mitte, Ende, dieses Dreischrittverfahren bestimmt Hollywoods Erzählkino, auch wenn Action und Bildwelt verwirrende Labyrinthe schaffen. Insgesamt ist narrative Form ein elaboriertes System, dessen Linearität und Schematismus von Filmen immer wieder variiert und erneuert wird. Quentin Tarantinos *Pulp Fiction* (1994), eine Liebeserklärung an die billigste Trivialliteratur mit ihrer sentimental-triefenden Melodramatik, abenteuerlichen Unwahrscheinlichkeiten und exzessiver Banalität, ist entschieden antilinear-chronologisch im Erzählen (*Filmregisseure*, 670). Clever und gerissen wird mit Rückblenden und Verschachtelungen der Handlungsepisoden ein Kreislauf des Erzählens etabliert, der zu einem Stillstand des Geschehens führt und das plakativ verherrlichte Gangstermilieu mit seiner unbeschreiblichen Grausamkeit und Gewalt als festen Bestandteil amerikanischer Wirklichkeit hinstellt.

Anthony Minghellas *The English Patient* (*Der englische Patient*, 1996) versucht, kunstvoll verschiedene Handlungsstränge wie Krieg (in Nordafrika, Italien), Liebesverhältnisse (Almasy und Katherine; Hana und Kip), Genesungsgeschichten, Schauplätze (Saharawüste, toskanische Villa, das Kairo der Diplomaten) und Zeitebenen (Antike, Vorkriegs- und Kriegszeit) in ein Erzählgemenge zu bringen, das Parallelsysteme mit verschiedenen Erzählschwerpunkten schafft: Erzählt wird nicht chronologisch, »sondern in einem raffinierten Geflecht aus Erinnerungsfetzen und Fieberträumen. So steht z. B. Almasys Flugzeugabsturz in der Wüste als spektakulärer Auftakt am Anfang des Films. Auf diese Weise wird der Zuschauer gezwungen, an der Enträtselung der verschlungenen Handlung, in der Gegenwart und Vergangenheit ständig ineinander verflochten sind, tätigen Anteil zu nehmen; und er wird hineingezogen in den Sog einer ausufernden Abenteuergeschichte« (*Reclams Filmführer*).

Neben solcher Erzähllartistik sind andere Filme traditioneller im Erzählen, weniger Formspiel als Schauspiel. Roberto Benignis erstaunlicher Holocaust-Film *La vita è bella* (*Das Leben ist schön*, 1997) stellt zwei Filmhälften in polaren Kontrast: die farcenreiche, märchenhaft-komische, utopisches Glück suggerierende Liebesgeschichte des ersten und die tragische KZ-Geschichte des zweiten Teils, die den Schein des Märchenhaften zu wahren versucht, etwa wenn Guido, der Vater, ein kindlich-energievoller Lebenskünstler, seinem Sohn vormachen will, bei dem KZ handle es sich um ein riesiges Gesellschaftsspiel. Dieser Märchenerfinder wird auf der Suche nach seiner Frau Dora geschnappt und von der Wachmannschaft erschossen, während der ahnungslose Sohn zum Schluss vor dem versprochenen ersten Preis, einem richtigen Panzer, steht. Es sind die amerikanischen Befreier, die ins KZ einrollen. Der Film kontrastiert zwei Gegensatzwelten, unterstützt aber die Löchrigkeit des KZ-Märchens, das in Guidos Fantasie beschworen wird, durch untergründige Formdissonanzen, wenn »mit brüsken Rissen in der Erzählung« das Lügengespinst in die Zerreißprobe geht, wenn »mit ›Bildern, die andere Bilder zitieren‹ (Seeßlen) [...] von Charlie Chaplins *The Great Dictator* bis Steven Spielbergs *Schindler's List*« ein Beziehungsnetz geliefert wird, womit der Zuschauer die Unwahrscheinlichkeiten dieses Films hinterfragen kann (*Filmklassiker* 4, 519).

28 Psychodrama unter Wasser in »Das Boot«

Ganz verschiedene Filme wie Wolfgang Petersens Fernsehserie und Kinofassung *Das Boot* (1981), eine ambitionierte Psychostudie des U-Boot-Krieges, dessen Rhythmus die Erzählweise bestimmt, Gabriel Axels *Babettes Fest* (1986/87), ein gemächliches Werk des Kulinargenres, Joseph Vilsmaiers *Comedian Harmonists* (1997), die episodenschnelle Aufstiegs- und Zerfallsgeschichte des berühmten Musiker-Sextetts vor und während der Nazizeit, Max Färberböcks *Aimée und Jaguar* (1998), eine unwahrscheinliche, aber auf Tatsachen beruhende Story der Liebe einer Berliner Jüdin zu einer verheirateten hausfraulichen Mutter von vier Kindern, deren Mann an der Ostfront kämpft, schließlich Sandra Nettelbecks ebenfalls kulinarischer Film *Bella Martha* (2001), ein Einblick in die hektische Küchenkunst einer gefeierten, aber leicht irritierten Chefin, deren Leben einer Reformkur unterzogen wird (durch ihren italienischen, unbeschwert südländisch das Leben genießenden Assistenzkoch): Alle diese Filme erzählen filmisch in gewohnter Weise, jedoch in dem Bestreben, jeweils durch neue Akzentuierungen, Rhythmusverschiebungen und eine komplementäre Schnittkultur nach neuen Erzählmustern und Ausdrucksformen zu suchen.

Rückblende ist ein wichtiges Formmittel im Film, um Vergangenes zu vergegenwärtigen, um eine Hauptgestalt in ihrem Vorleben oder einen Handlungsstrang in seiner Vorgeschichte vorzuführen. In *Citizen Kane* dienen die Wochenschauen als Zeitraffer, die die Vergangenheit des Zeitungsmagnaten aufrollen. Eine der wichtigsten Rückblenden jedoch ist die auf Kanes Kindheit, als seine Eltern einwilligen, ihr Kind zur Schulung wegzugeben. Es

kommt zu einer für Kane traumatischen Trennung vom
Elternhaus, dessen Geborgenheit ihm von nun an fehlt.
Die Trennungsangst wird überdeutlich in dem Versuch
des jungen Kane, seinen neuen Ziehvater mit seinem
Schlitten anzugreifen. Es ist derselbe Schlitten, der später
am Ende des Films das magische Wort »Rosebud« vor-
weist als Signum verlorenen Kindheitsglücks, ausgespro-
chen zu Anfang des Films vom sterbenden Kane. Die
Rückblenden bieten nicht Vergangenheitseinblicke, sondern helfen mit, ein Sinnganzes von Kanes konfliktreicher
Existenz zu umreißen, schaffen epische Totalität mit psy-
chologischer Tiefe, um Kanes Entwicklung zum menschlichen Monstrum, das alle um sich her manipuliert und zu
beherrschen versucht, als Fehlentwicklung aufzuzeigen.
Sein Leben enthüllt sich als verzweifelter Versuch, die seit
seinem Kindheitstrauma bestehende Unsicherheit und
Leere mit Menschen, Dingen, Besitz und Macht anzu-
füllen.
Rückblende als Erzählmittel eigener Art findet sich auch
in Frank Beyers Verfilmung von Jurek Beckers Ghet-
toroman *Jakob der Lügner* (1974). Autor und Regisseur
haben im Drehbuch die Zeit- und Geschichtskonzeption
der Romanvorlage eingeengt auf die Zeit im polnischen
Kleinstadtghetto, wo Jakob versucht, einem gewöhnlichen
Leben unter völlig unnormalen Umständen nachzugehen.
Durch sein zufälliges Mithören einer Radionachricht auf
der deutschen Polizeiwache werden Hoffnungen erweckt
(»Beeilt euch, Russen«), die er den anderen mitteilt, um sie
an Verzweiflungstaten zu hindern. Was dazu führt, dass
er vorgibt, ein verstecktes Radio zu besitzen. Von da an
muss er immer neue Radiomeldungen erfinden, um den
Nachrichtenhunger seiner Mitbewohner zu stillen. Ein
Doppelleben zwischen Realität und Fiktion ergibt sich,
zwischen Wahrheit und Notlüge. Belustigend ist die
Szene, wo er Lina, die er versteckt hält, Radio vorspielen
muss, etwa ein Gespräch mit Churchill, eine komische
Glanzleistung, denn er vertieft sich so in seine Fiktion,

dass sie ihm Wirklichkeit wird, während das kleine Mädchen seine Schaustellung durchschaut.

Auf märchenhafte Weise zeigt der Film den Zusammenhang von Leiden und Wünschen, Realität und Fantasie, Resignation und Hoffnung. Die in den Film einmontierten Rückblenden holen eine verklärt erscheinende gewöhnliche Realität des Damals im Kontrast zum deprimierenden Jetzt ans Licht. Wunschvorstellungen werden eingeblendet als Vergewisserungen menschlicher Hoffnung, die der Verlockung entgegenstehen, »sich gleich hinzulegen und zu krepieren« (*Reclams elektronisches Filmlexikon*, Jurek Becker). Diese immer wieder unwillkürlich sich manifestierende Hoffnungstätigkeit kollidiert aber mit dem Ghettoalltag, besonders wenn die Deportationen einsetzen. In die Enge getrieben muss Jakob bekennen, kein Radio zu besitzen, worauf sich sein alter Freund und Widersacher Kowalski erhängt. Der Film zeigt anders als die jüngste Verfilmung des Romans durch Peter Kassovitz (1999) das Mörderische des Lebens unter der faschistischen Zwangsherrschaft im Holocaust nicht mit Terrorakten oder gar Verbrennungsöfen, sondern im Zerstören gewöhnlicher menschlicher Alltagswelt. Diese kühne Konzeption der Faschismuskritik schiebt alles Sensationelle beiseite zugunsten einer normaleren Realitätsvorstellung, wobei dennoch der Wunsch nach dem Unerreichbaren die Menschen motiviert, sich über ihre Wirklichkeit durch Fantasie und Hoffnung zu erheben. Die Rückblenden dienen dieser Dialektik des Wünschens. Leider verfällt die Verfilmung von Peter Kassovitz, *Jacob the Liar* (1999), mit dem wandlungsfähigen Robin Williams in der Hauptrolle, der Exzessmethode und brutalisiert die graue Alltagswelt, die Becker und Beyer als Lebensbasis beschworen hatten, durch drastische Horrorszenen, die mehr der Holocaust-Filmgeschichte entstammen als der Realitätskonzeption des Romans (vgl. Franziska Meyer, in: Wende, 214–251). Gewisse Klischees der Holocaustindustrie erscheinen als Wirklichkeitsschemas verfestigt, ohne die Glaubwürdigkeit einer zurückhaltenden Authentizität, die über weite Strecken auch Roman Polanskis Überlebensdrama *The Pianist* (*Der Pianist*, 2002) bestimmt und die schon Steven Spielberg in *Schindler's List* (*Schindlers Liste*, 1993) durch seinen Verzicht auf allzu große Sentimentalität zu vermeiden gesucht hatte (vgl. Korte [2]2001).

Rückblenden finden sich auch in literarischen Texten. In Franz Kafkas Roman *Das Schloss* denkt die Hauptfigur K. zweimal an die Vergangenheit, einmal beim Anblick des ihm im Verlaufe der Handlung nie zugänglichen Schlosses, das ihn an sein Heimatstädtchen samt Kirchturm erinnert; das zweite Mal, als er nachts im Schneetreiben ins Schloss geführt zu werden glaubt, nur um im Dorf bei der Familie des Boten Barnabas zu landen, hat er eine Erinnerung an seine Kindheit, eine literarische Rückblende durchaus. Nach dem Erklettern einer Kirchhofsmauer wird sein stolzes Selbstgefühl von dem vorübergehenden Lehrer, einer typisch kafkaesken Autoritätsperson, zunichte gemacht durch ein bloßes Anblicken, das ihn von der Mauer heruntertreibt. Triumph und Erniedrigung, Gelingen und Scheitern, die auch K.s vergeblichen Zugang zum Schloss markieren, sind hier in einer Filmszene der Erinnerung verbildlicht. Literarische Rückblenden retardieren die Handlung also nicht unbedingt, sondern ergänzen Handlung und Geschehen durch erhellende Einblicke in die Handlungsvergangenheit oder das Vergangenheitsbewusstsein einer Figur. In den Verfilmungen des *Schlosses* (Rudolf Noelte, 1968; Michael Haneke, 1997) fehlen diese literarischen Rückblenden bezeichnenderweise.

Kamerafahrten als Elemente der Bildgestaltung können die Filmform auf ganz besondere Weise attraktiv machen, aber auch zur Sinnvertiefung beitragen. *Touch of Evil* (*Im Zeichen des Bösen*, 1958) von Orson Welles, ein Schwanengesang auf die »Schwarze Serie« (*films noirs*), verwendet in seiner Eröffnung eine atemberaubende, über dreiminütige Kamera(-Krahn)fahrt, um die Öde einer amerikanisch-mexikanischen Grenzstadt einzufangen. Zugleich wird diese von oben herab sichtende Kamera Zeuge eines Sprengstoffanschlags, bei dem ein Auto in die Luft gesprengt wird. Die Explosion beendet die von der Kamera eingefangene trügerische Schläfrigkeit der Szene und setzt gewaltsam den Anfangsakzent zu einer Konfliktgeschichte, bei der einem überheblichen, zum Gesetzesverächter gewordenen Polizisten schließlich das üble Handwerk gelegt wird. Aber die Kamerafahrt ist mehr formale Tour de force denn notwendige Sinnvertiefung. Welles liebt den Exzess, das Zuviel, den Aufwand, um seine Filme ausdrucksstark erscheinen zu lassen.

Eine unscheinbare Kamera(-Krahn)fahrt findet sich in der David-Jones-Verfilmung von Kafkas Roman *Der Process* (1992), der beginnt: »Jemand mußte Josef K. verleumdet haben, denn ohne daß er etwas Böses getan hätte, wurde er eines Morgens verhaftet« (*Der Proceß*. Frankfurt a.M. 1994, 9). Etwas Unerklärliches geschieht, das am Ende zum Tode des Protagonisten führt, der wie »ein Hund« stirbt. Nach dem Drehbuch von Harold Pinter beginnt Jones mit dem Alltag einer morgens erwachenden Stadt. Die Kamera fährt niedrig über das Straßenpflaster, erhebt sich langsam zu einer schwermütigen Volksweise in der Musik, geht höher in eine Seitengasse hinein, dreht und bewegt sich auf ein Zimmer im ersten Stock zu, wo Josef K. erwacht. Die Kamerabewegung holt eine Vorstellung von jenem Gesellschaftlichen ein, die im Wort »jemand« unbestimmt zum Ausdruck kommt. Diese Kamerafahrt ist auf ihre Weise geheimnisvoll, spionagehaft, wie denn Josef K. sich bei seiner Verhaftung dem zudringlichen Blick von Nachbarsleuten ausgesetzt fühlt. Was er dort spürt, ist das Beobachtetwerden, der soziale Blick, die gesellschaftliche Überwachung, wie sie Michel Foucault eindringlich dargestellt hat (*Überwachen und Strafen. Die Geburt des Gefängnisses*. Frankfurt a. M. 1977). Kafka verwendet selber filmische Mittel im Erzählen, und

Pinter und Jones beziehen ihre Filmform auf eine bedeutungsvolle thematische Konstante bei Kafka. Die Kamerafahrt akzentuiert Kafkas Konflikt zwischen Held und Gegenwelt, die als ein strafendes Überwachungssystem auftritt, anonym, alltäglich und organisiert bis in unerreichbare Hierarchien einer undurchschaubaren Gerichtswelt (Beicken ²1999).

5.3. Die Methode der Strukturanalyse

Die strukturalistische Filmanalyse, beeinflusst von Claude Lévy-Strauss' anthropologischem Strukturalismus, der auf Ferdinand de Saussures Semiologie zurückgriff, führte bei Christian Metz zu einer strengen Systemforderung in seinem der Linguistik nachgebildeten ›großen Syntagma‹. Damit suchte er die Gesamtstruktur des Films, sein Sprachsystem, d. h. seine Ordnung der Beziehungen und Verbindungen, zu erfassen. Die strukturalistische Filmanalyse wandte sich entsprechend den Strukturelementen zu, untersuchte Filmmotive oder Genres in systematischer Annäherung, ließ aber zunächst Fragen des sozialen Kontextes des Mediums oder seiner inneren psychologischen Tiefenstruktur außer Betracht, bis der Strukturalismus von Jacques Lacan auf die Psychoanalyse und von Louis Althusser auf Phänomene der gesellschaftlichen Ideologie bezogen wurden. Der Strukturalismus behandelte Film vor allem als Text, beschreibbar, analysierbar, zerlegbar. Was fehlte, war eine Einsicht in die Dynamik des Sehens, sowohl der Kamera als auch des Zuschauers. Während die strukturalistische Filmanalyse eine historische Ausformung und Phase darstellt, wird hier Strukturanalyse als allgemeinere Methode vorgestellt.

Der Blick der Kamera und des Zuschauers kam erst im Gefolge des Strukturalismus, im so genannten Poststrukturalismus auf, als vor allem die psychoanalytische Filmforschung und die feministische Filmanalyse sich eingehend mit der visuellen Struktur des Films und der Geschlechterdifferenz im Sehen befassten. Laura Mulveys mehrfach revidierte Blickanalyse (der Blick zwischen den Figuren im Film, der Blick des Zuschauers auf die Leinwand, der Blick der Kamera als Vorprägung des Zuschauerblicks) verstand Kino als Inszenierung von Schaulust (1975; 1989). Sie postulierte mit Augenmerk auf Phänomene des Unbewussten eine Skopophilie (Sehlust), um im (patriarchalischen) Erzählkino Hollywoods die Dominanz des männlichen Blicks zu verankern: »Die Frau als Bild, der Mann als Träger des Blicks«, die Frau als Objekt des männlichen Blicks und Begehrens (*Frauen*, 36). Der Zuschauer übernimmt diese vorstrukturierte Blickweise in einer Schaulust, »die im Wesentlichen Manifestationen der männlichen Psyche entspricht (Voyeurismus, Fetischismus) und, unabhängig vom tatsächlichen Geschlecht der Zuschauer, eine männliche Zuschauerposition erzeugt« (Annette Brauerhoch in: *Reclams Sachlexikon* 2001, 81 ff.). Die Zuschauer identifizieren sich mit dem Helden als »Ideal-Ich«. Jedoch die Zuschauerinnen, die sozialisiert worden sind, sich selbst als »Anblick« zu akzeptieren, unterziehen sich gleichsam einem Geschlechtertausch im Schauen, wenn sie den männlichen Blick adoptieren, um die Lustangebote der Leinwand – die Frau als Objekt des (sexuellen) Begehrens – in masochistisch-narzisstischer Weise (Doane) oder »masochistische Schaulust« (Studlar) zu goutieren. Diese These von der Dominanz des männlichen Blicks und vor allem von der Umpolungsnotwendigkeit der weiblichen Zuschauer ist von anderen feministischen Theoretikerinnen eingeschränkt worden, die Frauen entweder einen größeren Spielraum oder einen eigenen Blick zugestanden haben. »Damit können Zuschauerlüste benannt werden, die, anders als Voyeurismus und Fetischismus, eine im Blick grundsätzlich angelegte Ambivalenz zwischen Kontrolle und Lust am Kontrollverlust aufrechterhalten und Identifikationen im Kino über den Blick als einen uneindeutigen, multiplen Prozess beschreiben« (Brauerhoch, ebd.).

Praktische Strukturanalyse befasst sich mit Elementen und ihrem Zusammenwirken, ohne aber wie die Filmform solche Formaspekte wie Rückblende, Parallelaktion oder Montage zu isolieren. Als Beispiel struktureller Verwendung dient ein Motivgeflecht aus dem *Blauen Engel*, das Vogelmotiv, dessen Vielfalt bemerkenswert ist. In der Anfangssequenz des Films erscheint ein Wochenmarkt mit dem unüberhörbaren Gezeter der Gänse, während eine

29 *Pustekarte mit Vogelfedern im »Blauen Engel«*

Schaufensterputzfrau das Plakat der lasziv dargestellten Lola begafft, um sich mokierend in die suggestive Pose der Künstlerin zu werfen. Motivisch sind hier schon Vogel und Lockvogel aufeinander bezogen. Übergeblendet wird zu Professor Raths Wohnung, wo das einzige

30 *Aufstand der Schüler gegen den autoritären Lehrer*

Haustier (und Lebensgefährte) dieses Junggesellen, ein Vogel, mit dem er flötende Unterhaltung zu betreiben pflegte, leblos im Käfig liegt. Die Haushälterin steckt das tote Tier in den Herd. Die symbolische Bedeutung des toten Vogels enthüllt sich aus dem weiteren Zusammenhang. Denn als Nächstes konfisziert

Rath in der Klasse anzügliche Postkarten, die die Tänzerin und Sängerin Lola Lola mit einem Röckchen bedeckt zeigen, das aus echten Federn besteht, welche die Schüler (und Rath später ebenfalls) wegblasen, um sich am Enthüllten zu ergötzen. Der tote Vogel suggeriert die Einsamkeit und Lustlosigkeit von Raths Existenz, während seine Schüler ihrem Pennälerbegehren nach dem Dunstkreis weiblichen Sexus folgen und die Hafenbar »Blauer Engel« frequentieren.

Um seine Schüler *in flagranti* zu ertappen, platzt Rath in das Tingeltangeletablissement hinein. Den Stock schwingend in phallischer Aggressivität stürmt er Lolas Garderobe mit dem Vorwurf, sie verführe seine Schüler. Die Künstlerin reagiert überlegen, cool. Sie entwaffnet den hochtrabenden Sittenwächter mit Charme und erweckt in ihm ein Verlangen nach dieser Welt des Unbürgerlichen, die seiner eigenen so entgegengesetzt ist. In Dingen des Eros ebenso unerfahren wie unbeholfen wird Rath ein leichtes Opfer, das sich aber immer in Kontrolle wähnt, die Besuche wiederholt, über Nacht bleibt. Am Morgen danach singt in Lolas Käfig ein Vogel.

Nach seinem Rücktritt aus dem Schuldienst trägt der verliebte Professor ihr die Ehe an, worauf sie ihn herzhaft auslacht. Aber er nimmt die Situation in den Griff, hält Lola bei den Schultern und fordert sie auf, den Ernst der Stunde nicht zu verkennen. So vollzieht er seine Inbesitznahme. Auf der Hochzeitsfeier gluckt die jungvermählte Lola wie eine Henne, und er spielt stolz den Hahn mit eitlem Kikeriki. Später jedoch endet er als traurige Clownsattraktion auf der Bühne, ein Hahnrei, der sein Kikeriki hervorquält, während Lola sich dem starken Mann Mazeppa hingibt.

Die Strukturanalyse schafft einen Beziehungszusammenhang, der das Vogelmotiv im *Blauen Engel* als Bedeutungskomplex des Sexuellen bestimmt, die abgestorbene, die wiedererlangte, die erneut verloren gehende Sexualität (ohne dass man hier noch zusätzlich auf den obszönen Begriff des »Vögelns« eingehen muss). Diese Struktur »Vogel« ist reich facettiert, umfasst sehr verschiedene Bedeutungsbereiche, die in ihrer Erzählfunktion, aber auch in ihrer symbolischen Signifikanz alle mit dem Komplex Sexualität zu tun haben: als Abwesenheit, Unterdrücktes, auch Verlockendes, als Suggestionskraft im Spiel mit dem Eros auf dem Theater, im Lied, Kostüm und in der Körpersprache, von der biederen Ehekonzeption, die in der Rath-Lola-Verbindung als Grotesk-Unmögliches erscheint, zum Pubertätsthema (dem Schülerverlangen) und Kabarettspiel, das in den Songs der Lola, besonders in ihrem Chanson-Leitmotiv (»Ich bin von Kopf bis Fuß auf Liebe eingestellt«), mit poetischer Raffinesse (und Anklang an Goethes Gedicht *Selige Sehnsucht*) die versengende Macht weiblichen Sexappeals beschwört. Schafft das Vogelmotiv die Struktur »Vogel«, die von der Oberfläche bis in die psychologische Tiefe der Figuren reicht, so kreiert der Film ein körperliches Pendant zum vogelhaften Fliegen, Flattern, Taumel und erotischen Rausch. Immer wieder stellt sich die Kamera auf Lolas Beine ein, die berühmten »schönen Beine« Marlene Dietrichs (Kracauer 1984, 418), die nicht nur von ihrer Mitsängerin, Kieperts Frau, bewundernd (und neidisch) beäugt werden, sondern auch die Kamera geht in einer bemerkenswert riskanten Einstellung mit Rath unter den Schminktisch, wo Rath die absichtsvoll von Lola fallen gelassenen Zigaretten aufklaubt, während der Kamerablick genießerisch auf Beine und Schoß zielt, bis sie dem unerlaubten, von ihr aber provozierten Schauspiel mit einem Gemeinplatz in ›Berliner Schnauze‹ ein Ende bereitet: »Sie, Herr Professor, wenn Sie fertig sind, schreiben Sie mir 'ne Ansichtskarte.« Klar ist das frivole Verwirrspiel, das Lola mit ihrem unwissenden Verehrer treibt.

Als Beispiel einer intertextuellen Beziehung und eines ebenfalls erotisierenden Kamerablicks geht Wim Wenders in *Paris, Texas* (1984) in ähnlicher Einstellung unter den

Tisch, um gleichsam ›unter dem Tisch‹ die erotische Spannung zwischen Travis und seiner Schwägerin Ann anzudeuten.

5.4. Die psychoanalytische Methode

Die psychoanalytische Filmanalyse geht dem Verborgenen, den Manifestationen des Unbewussten nach, wobei aber nicht die Psyche des Regisseurs im Vordergrund steht, denn in den seltensten Fällen ist ein Film Ausdruck von dessen privater Persönlichkeit. Wird Film oft als Fantasie verstanden, als dem Traum ähnliche Bilderwelt, so hat die Analyse diese Strukturen zu erfassen. Das geht über bloße Indikation Freud'scher Symbolik hinaus (nicht jeder prolongierte Gegenstand ist ein Phallussymbol) und auch der Nachweis der ödipalen Situation (das Konfliktdreieck zwischen Vater-Mutter-Sohn) hat einen eher geringen Wert, weil das Ödipale in allen Manifestationen leicht aufgespürt werden kann. Produktiv an der psychoanalytischen Methode ist das Aufdecken von Tiefenstrukturen unter den Oberflächenphänomenen. *Der blaue Engel* ist ein gutes Beispiel, das Psychische in der Beziehung von Oberfläche und Tiefe, Manifestem und Verborgenem, Symbol und aufschließbarem Sinn zu erhellen.

Dass Rath, ein Schultyrann und bloßer Rollenträger der gesellschaftlichen Moralfunktionen, ein verklemmter Charakter ist, dass er Eros und Sexualität verdrängt hat und als Tugendwächter jedes Begehren verfemt und ahndet, ist offensichtlich. Auch, dass ihm eine integrierte Persönlichkeit abgeht. Das Entfremdete aber tritt ihm als Fremdes gegenüber, nimmt Besitz von ihm. Statt diese Bereiche des Emotionalen und der Sexualität in seiner Ichkonstitution zu integrieren, bleibt er bei seinem Bedürfnis, andere zu kontrollieren. Ehemals unbeschränkter Herrscher im Klassenzimmer, treibt ihn der Beherrschungswahn weiter. Selber beherrscht von ideologischen und sozialen

Mächten bleibt er unfähig, ein unabhängiges Ich zu entwickeln, sein Selbst als autonomes zu behaupten.

Wie viele Figuren des frühen deutschen Kinos ist Rath eine gespaltene Persönlichkeit. Doppelgängerisch wie im *Studenten von Prag* und in ähnlicher Doppelexistenz wie im *Cabinet des Dr. Caligari* erlebt Rath seine Ichspaltung als etwas Fremdes, das ihm von außen als Unbegreifliches, Undurchschaubares entgegenkommt. Im Film wird die Funktion des Alter ego von dem stummen Clown übernommen, der in nahezu zwei Dutzend Szenen auftritt. Dann, als Lola ihr Ständchen vorträgt, während Rath nach seiner »Einspritzung« (des Liebestranks) durch den Zauberkünstler Kiepert in der Loge sitzt, ist der Clown ein letztes Mal sichtbar unterhalb dieses Balkons, um dann für immer zu verschwinden. Eine Wiederkehr des Clowns findet aber statt in der traurigen Selbstdarstellung Raths im Clownskostüm auf der Bühne, wo seine neue Erscheinungsweise zugleich das Unerreichbare bleibender Identität für ihn verdeutlicht.

Von Sternbergs Zutat des Clowns – im Roman fehlt davon jede Spur – ist eine einfallsreiche Visualisierung der psychischen Konflikte Raths zwischen Angepasstheit an den autoritären Charakter und Abspaltung eines zur Stummheit verurteilten Ich, das überall zugegen ist, aber in der Welt der Sprache, Befehle, Normen und Gesetze nicht zu Hause ist. Der Clown tritt zum ersten Mal auf, als Rath auf der Suche nach seinen Schülern versehentlich die Tür zur Garderobe der Revuemädchen aufmacht, aber beim Anblick der sich umkleidenden weiblichen Figuren gleich wieder schließen will, wobei sich der Clown aus dem Zimmer herausschiebt, als wäre gerade dieser Bereich sein dauernder Aufenthaltsort. Der Clown ist in der Folge meist stummer Beobachter Raths, sein Begleiter im »Blauen Engel«, sein Schatten. In der wohl wichtigsten Szene hindert er Rath daran, Lolas Garderobe durch die Bühnentür zu verlassen, indem er den Gehbereiten am Unterarm fasst und ihn merklich genug wieder in das Zimmer zurück-

31 Rath und sein Alter ego, der Clown
32 Der Clown, stummer Teilhaber an Raths Geschick im
»Blauen Engel«

schiebt, als wolle er ihn zu einer bestimmten Handlung, nämlich zum Dableiben drängen.

Der Clown als Raths stummes Alter ego, als das andere Ich, das verdrängt worden ist in seiner Unterwerfung unter die absolute Autorität des Gesellschaftlich-Moralischen und die bürgerlichen Rollenzwänge, ist daran interessiert, Rath zu der von ihm unterdrückten Welt der Emotionen und des Eros, des Körperlichen und des Sexus hinzuführen, ihn zur Re-Integration des Abgespaltenen zu bewegen. Der Film, so oft man ihn als Melodram abgetan hat, studiert den Fall des Fehlschlagens. Rath ist nicht in der Lage, sich vom Autoritären zu befreien. Seine Werbung um Lolas Ja zur Heirat ist deutliche ›Überwältigung‹. Sein Spiel mit dem Eros ist bühnenhaftes Gockeltum bis hin zur traurigen Entäußerung. Während der Clown problemlos von der Bühne in die Mädchengarderobe schlüpfen kann, ohne Anstoß zu erregen, während er gleichsam ohne männliche Aggression ein Wanderer zwischen den Welten ist, versucht Rath selbst nach der Aufgabe seiner Stelle im Schuldienst und nach dem Abschied von seiner bürgerlichen Lebenswelt noch immer, die Menschen in seiner Umgebung zu beherrschen, sie sich untertan zu machen, obwohl er sehr schnell machtlos seinem Destruktionsschicksal ausgeliefert ist.

Der Clown repräsentiert nicht etwa ein definitives Symbol, das ein voll entwickeltes sexuelles Bewusstsein und Verhalten anzeigt. Er stellt in seiner nahezu geschlechtslosen Herumtreiberei eher so etwas wie ein Potential dar, etwas Unentwickeltes, das erst noch entfaltet, realisiert werden muss. Kracauer allerdings hat in diesem Vorbeischweben eine »schweigende Resignation« sehen wollen, die »schon ihre Schatten auf die Passivität vieler Leute unter totalitärer Herrschaft« werfe (1984, 229). Ebenso wie Adornos vernichtende Kritik an dieser Verfilmung von Heinrich Manns Roman geht Kracauer hier nicht sehr auf das Filmspezifische ein. Sein zeitgeschichtlich orientierter, polemischer Kommentar entstellt aus der Retrospektive. Auch Gertrud Kochs Rückgriff auf von Sternbergs Jugenderinnerung an einen sadistischen Hebräisch-Lehrer führt vom Biografischen zur schnellen These »sadomasochistischer Rituale« und zur Setzung Marlene Dietrichs als »phallische Mutter« in der Rolle von Lola (88, 90). Diese Fixierungen auf Ideologiekritisches oder auf freudianischen Schematismus werden Sternbergs Visualisierung psychischer Verhältnisse, Spaltungen, Komplexe und Konflikte, wie er sie im Clown genial zustande brachte, kaum gerecht.

5.5. Die intertextuelle Methode (Einfluss)

Die traditionelle Unterscheidung von Form und Inhalt hat, vor allem unter dem Eindruck der positivistischen Methode, Werke aus dem Erleben und der Biografie des Künstlers zu erklären, dazu geführt, Künstler und Werk als unter Einflüssen stehend zu postulieren. Es ist ein grob verallgemeinerndes Schema, das den komplexen Verhältnissen einer Einflusssituation nicht gerecht werden kann. Goethe, dessen Erlebnisdichtung dieser biografischen

Einflussmethode als Paradigma diente, zeigt andererseits in einem Werk wie dem *West-östlichen Divan* (1819), dass selbst eine Lyrik, die in großen Teilen sich zur Nachdichtung der Vorbilder des persischen Dichters Hafis inspirieren ließ, durchaus kreative Aneignung, Auseinandersetzung und Umbildung erreicht. Es kommt zur Wechselbeziehung zwischen den Texten, zur Intertextualität.

Der expressionistische Dekor, die verschrobene und visuell aus den Fugen geratene Schattenwelt von Wienes *Cabinet des Dr. Caligari* war eine solche filmische Neuerung, dass sie in den frühen zwanziger Jahren Beispiel gab für die vor allem in Frankreich und im sonstigen Ausland modische Nachahmung des Caligarismus. Die gemalte Überdeutlichkeit der Horrorgrafik und das Sujet einer verzerrten, verrückten Welt waren entscheidende Einflussfaktoren für Nachahmungsfilme. Dieser Caligarismus und die expressionistische Schattenkunst haben unverkennbar starke Nachwirkung im amerikanischen *film noir* gehabt, wo das Unheimliche zum gesellschaftlichen Gemeinplatz wurde (Cargnelli).

Filmische **Intertextualität** ist als Beziehungsgeflecht zwischen Werken bzw. Kunstsystemen zu verstehen, die Entsprechungen auf den verschiedensten Ebenen aufweisen. Es kann sich zunächst um nachweisbare Abhängigkeit handeln, also um Einfluss im alten Sinne, wo ein Film ganz deutlich anderes als Quelle, Inspiration benutzt oder ein Filmemacher bewusst andere zitiert. Es kann sich um Verwandtschaft handeln, die sekundär vermittelt ist durch andere Werke. Und es kann sich um Entsprechungen handeln, die gleichartigen Konzeptionen entspringen, ohne dass eine konkrete Abhängigkeit vorhanden ist.

Ein Film, der mehr oder weniger deutlich einen anderen in Bildeinstellung, Kameraarbeit oder Mise-en-scène zitiert, macht die Abhängigkeit klar und deutlich. Wenn Freder in *Metropolis* an der großen beleuchteten Rundscheibe mit weit ausgebreiteten Armen die beiden Zeiger anzuhalten versucht und er wie gekreuzigt aussieht, dann ist die

Anspielung auf Christi Passion am Kreuz überdeutlich
und als filmisches Zitat der christlichen Ikonografie von
Kreuzigungen auf Altarbildern greifbar. Wenn Freder
einen erschöpften, leblos erscheinenden Arbeiter an dieser
Lichtscheibe in den Armen hält, dann ergibt sich das
bekannte Bild der Pietà, die ursprünglich Maria in ihrer
Trauer und Beweinung des Leichnams Christi darstellt.
Metropolis ist ›voll gestopft‹ mit christlicher Symbolik: die
Katakomben, die Altarkreuze, die Flut, die die Sintflut
evoziert, die große Hure Babylon aus der Offenbarung,
die in *Metropolis* als in ihrem Unwesen triumphierende
Tänzerin auf dem Verjüngungsbrunnen erscheint, der von
den Monstren der Apokalypse getragen wird. Diese christliche Symbolik wirkt im Film aufgesetzt, überdeutlich,
sogar kitschig. Komplexe Gesellschaftsverhältnisse und
Machtkämpfe zwischen oben und unten werden reduziert
auf schematische Formeln, etwa: Das Herz ist der Mittler
zwischen Kopf und Hand.
Interessanter ist Marias Bezugnahme auf die biblische Parabel vom Turmbau zu Babel. Sie wird nicht als Strafge-
richt Gottes für die Vermessenheit der Menschen erzählt,
entgegen seinem Willen sich göttliche Größe in dem him-
melstürmenden Turm angemaßt zu haben. Marias umdeu-

tende Version stellt den Konflikt zwischen denen, die oben sind und das Bauwerk erdacht und entworfen haben, und den unten arbeitenden und versklavten Massen in den Mittelpunkt, wobei die ausgebeuteten, darbenden Arbeiter sich gegen ihre Herren erheben und das Bauwerk zerstören. Ein Beispiel eines destruktiv gelösten Arbeitskonflikts. Versöhnung in einem christlicher Ideologie nahe stehenden Kompromiss stellt das Ende von *Metropolis* dar: Die falsche Robot-Maria ist als Hexe verbrannt, ihr Erfinder Rotwang von Freder besiegt, der Vater Fredersen durch seinen Kniefall als reuig und menschlich akzeptabel aufgewertet. Da findet vor der Zuschauerschaft der keilförmig angetretenen Masse der Ausgleich zwischen Freder (Kapital) und dem Vormann (Arbeiter) durch Handschlag statt, eingeleitet von dem Sohn (Freder), der auf Marias Geheiß seine Rolle als Vermittler spielt, womit das versatzstückweise Zitieren der christlichen Symbolik zu Ende geht.

Feinsinniger im intertextuellen Zitieren ist Murnau. Ein Strandbild in *Nosferatu* zeigt Ellen, die Frau Hutters, in einer Dünensenke einsam und sehnsuchtsvoll auf einer Bank am rechten Bildrand wartend, umgeben von Kreuzen auf Gräbern von Schiffbrüchigen. Diese windschiefen Kreuze deuten hier weniger Glaube, Liebe und Hoffnung der christlichen Heilslehre an, sondern eher die Ungewissheit einer solchen Zuversicht. Ellen schaut auf das Meer, über das dann Nosferatu auf dem Schiff Demeter kommen wird in einer gespenstischen Fahrt, während ihr Mann ja über Land nach Hause zurückeilte. Das Seestück wird zum Sehstück, indem es unter der Oberfläche des Augenscheins das Verborgene sichtbar macht: Ellens schon durch ihre telepathische Beziehung zu Nosferatu existierende Bindung. Zugleich wird in der christlichen Symbolik – Kreuze erscheinen noch oft im Film – das Fehlen einer Heilsgewissheit verdeutlicht. Murnaus intertextuelle Bezugnahme ist nicht nur suggestiver, sie setzt sich auch mit den Ikonografien der bildenden Künste, vor allem der Malerei, von der niederländischen (Vermeer u. a.) bis zur romantischen (C. D. Friedrich), subtil auseinander (vgl. Kreimeier, Hrsg., 1994).

Eine Intertextualität anderer Art ist Fassbinders deutliche Bezugnahme auf Douglas Sirks *Was der Himmel erlaubt* (1955), dem er große Teile der Story und des Genres (Melodram) für *Angst essen Seele auf* (1973) entnahm (Läufer). »Fassbinder hat stets schnell auf Vorgefundenes reagiert, sich dieses anverwandelt und daraus Neues montiert« (*Filmregisseure* 1999, 216). Bei *Angst essen Seele auf* ist diese Anverwandlung ein besonderer Wendepunkt für Fassbinder. Er kam vom avantgardistischen Filmverständnis her, indem er den von Godard filmisch vermittelten Brecht-Einfluss übernahm, den er auch in seinem Antitheater verarbeitete, also besonders Verfremdungsverfahren und Distanzierungsformen, die Brechts marxistischem Bühnenverständnis und seinem epischen Theater eigen sind. Filmische Distanzierungen schafft Fassbinder in *Angst essen Seele auf* kontinuierlich vor allem durch lange Kameraeinstellungen, die den Erzählfluss verzögern, durch filterähnliche Objekte, die sich zwischen Zuschauer und Figuren schieben, sie unzugänglicher machen und sie durch verfremdende Tableaus, die choreografierte Ensembles einfrieren, vergegenständlichen. Fassbinder bewirkt Störungen in der Wahrnehmung, Desillusionen im (emotionalen) Identifikationsprozess und dadurch Intellektualisierungen des Sehens.

Intertextualität als rabiate Anleihekunst und entstelltes Zitieren, das seine sehr freizügige Aneignung des Vorgefundenen zu verschleiern sucht, findet sich in Tim Burtons *Batman Returns* (1992), wo der deutsche Film der Weimarer Zeit, aber auch andere Filmtraditionen in vielfacher Weise ausgebeutet werden. Diese Verfilmung eines Comicstrips aus den zwanziger Jahren verherrlicht die Welt von Gotham City, einer *Metropolis*-ähnlichen Wolkenkratzerstadt. Soziale Konflikte und Gangstertum werden auf nahezu märchenhafte und aktionistische Intervention durch einen einzelgängerischen Helden, Bruce Wayne, der zugleich als Batman ein Doppelleben führt, bereinigt und scheingelöst. Die Sozialstruktur ähnelt dem hierarchischen Oben und Unten in *Metropolis* und *Der letzte Mann*. In der Unterwelt darben allerdings hier nicht Arbeiter, sondern ein Heer von Pinguinen, von Oscar Cobblepot, einem Zwitterwesen aus Mensch und Vogeltier, beherrscht und in der Art eines Aufstands ausgeschickt, die Stadt zu attackieren. In ihren Marschformationen erinnern sie sehr an die choreografierten Arbeiterkolonnen in *Metropolis*. Wayne/Batman spielt den Retter, Freder vergleichbar, dem Mittler in *Metropolis*. Sein Kampf gilt nicht der väterlichen Autorität, sondern einem dem Erfinder Rotwang vergleichbaren besessenen Machtmanipulator, der insgeheim Drahtzieher und Herrscher in der Stadt ist und ihr die Energie stiehlt, nicht nur um sich zu bereichern, sondern um seine Macht auch für die Zukunft abzusichern. Was die Herzmaschine in *Metropolis*, ist das Kraftwerk für Shreck, der seiner Haartracht und behandschuhten Linken nach dem manischen Erfinder Rotwang gleicht, auch wenn er einen an den Hauptdarsteller (Max Schreck) von *Nosferatu* erinnernden Namen trägt. Sein halbrundes Chefbüro ist Fredersens Kontrollraum in *Metropolis* nachgebildet. Die Persönlichkeitsspaltungen dieses Films mit seiner »regelrecht schizoiden Dualität« (Merschmann, 59) dupliziert der amerikanische Film in der Doppelexistenz von Wayne/Batman, aber vor allem in der Verdoppelung der weiblichen Hauptfigur Selina Kyle, die einerseits eine untergeordnete Sekretärinnenfigur, andererseits als Catwoman eine selbstbewusste, weiblich aggressive Animation der Robot-Maria aus *Metropolis* darstellt. *Nosferatus* Schattenkunst wird vielseitig imitiert. Auch das Schlosstor zu Xanadu aus *Citizen Kane* findet in *Batman Returns* Verwendung, zudem verschiedene Interieurs dieses amerikanischen Klassikers, die in variierter oder verschleierter Form zitiert werden. Diese Zitierkunst greift auch die Spirale aus Fritz Langs *M* (1931) auf, die Kracauer als Zeichen des inneren und sozialen Chaos verstanden hatte, und präsentiert sie, ironisiert, als Regenschirmdesign des Pinguins (vgl. Kracauer 1984, dort Abb. 38).

Dieser Umgang mit Filmtraditionen kommt einer Kolonisierung kultureller Vergangenheiten gleich, die im Dienst kommerzieller Interessen eine Form der vermarktenden Globalisierung und cleverer, manipulierender Intertextualität abgibt. Im Bewusstsein der Möglichkeit und Realität solcher Vereinnahmung äußert Robert Lander in dem deutschen *road movie*-Klassiker von Wim Wenders *Im Lauf der Zeit*: »Die Amis haben unser Unterbewusstsein kolonisiert.« Wenders, der mit entschiedener Vorliebe für amerikanische Pop-Kultur (Rock 'n' Roll, Jukeboxes usw.) aufgewachsen ist, reflektiert Vorbehalte gegenüber der Einflussnahme des amerikanischen Kommerzdenkens auch in seinen späteren Filmen, die versuchen, der Überschwemmung des Kinos durch eine unmäßige, kontaminierte Bilderflut entgegenzuarbeiten. Burton verwendet Bildtraditionen als bloße Versatzstücke in einem Potpourri der actiongetriebenen Unterhaltung. Wenders dagegen montiert mit Respekt für die Originale in seinem Filmepos *Bis ans Ende der Welt* (1991) ikonografische Bezüge etwa zur Malerei Vermeers, zu Ozus Filmschaffen oder zu Langs futuristischen Visionen in *Metropolis*, was einen anderen Umgang mit der Tradition, eine produktivere Intertextualität anzeigt.

5.6. Mise-en-scène als methodischer Einstieg

Mise-en-scène ist ein vom Theater herkommender Begriff und meint Inszenierung. Verschiedene Aspekte sind zu unterscheiden, vor allem die Simulation von (empirischer) Realität und die Schaffung fantastischer Welten im Film, was über den Regisseur hinaus einen großen Stab von Mitarbeitern für Kleidung, Maske, Beleuchtung, Bauten, Raumgestaltung, Kamera usw. involviert.

Kleidung und *Maske* sind wichtige Elemente der Mise-en-scène, deren Einsatz große Bedeutungsfunktion hat. Die ausgebleichten Gesichter im *Cabinet des Dr. Caligari*, besonders Cesares weißes, maskenhaftes Antlitz mit den schwarzen Dünnlippen und den ebenso schwarzen Augenhöhlen geben seinem Aussehen außer Schlafwandlertum etwas Totenhaftes, Gespenstisches, und er ist ja auch Mordinstrument seines Herrn, Dr. Caligari. Caligaris Gesicht ist ähnlich geweißt und flächig, der Haarschopf lang, ungebärdig mit schwarzen Striemen, die sich auf den weißen Handschuhen wiederholen, was in seiner grafischen Überdeutlichkeit nicht nur kontrastierend, sondern auch mysteriös und unheimlich wirkt und von seinem schwarzen Anzug noch verstärkt wird. Ähnlich unheimlich mutet Cesares hautenges schwarzes Tanzkostüm an, das seinem Körper etwas Kindhaftes und Androgynes verleiht, wie denn dieser Schlafwandler trotz seines Alters (dreiundzwanzigjährig!) eine Ambivalenz zwischen Kindsein und Erwachsenenstadium anzeigt.

Lolas flammend roter Haarschopf in *Lola rennt* gibt ihr nicht nur die Aura, ›cool‹ zu sein, sondern signalisiert Energie und Dynamik, mit der sie im Fortgang des Films ihrem Geliebten das Leben zu retten versucht. Im Starkult dienen Make-up und Schminke besonders bei den Divas dazu, Schönheit und Ausdrucksstärke zu vereinen. Das Aussehen bei Frauen nimmt oft eine extrem erotische Signifikanz an, wobei zur Aufmachung des Gesichts Kleidung und andere Dinge (Brille, Uhr, Zigarettenhalter, Schmuck) hinzukommen, oft zur Verstärkung eines dominanten Ausdrucks. Maria in *Metropolis* erscheint zunächst als keusche, jungfräuliche Figur liebender Hingabe, die an die biblische Maria erinnern soll. Durch die Verwandlung von Rotwangs Roboter wird aus dem weibliche Körperformen nachbildenden Maschinenmenschen eine Vamp-Gestalt, die in den Tanzszenen, vor allem in dem nahezu nackt ausgeführten Schleiertanz, einer Salome gleich völlig sexualisiert erscheint und im Montagebild zum

Gegenstand der Begierde einer männlichen Augencollage wird.

Lola Lola im *Blauen Engel* zeigt als Sängerin im kurzen Röckchen nicht nur auf gewagte Weise ihre schönen Beine, sie eignet sich auch Insignien der Männlichkeit an. So erscheint sie, der Männer anziehende und Männer verderbende Vamp, mit dem kess-schiefen silbernen Zylinder in der Übernahme von Männlichkeitsattributen androgyn und signalisiert *gender bending* oder Geschlechterübertretung, was oft als ihre Bisexualität gedeutet worden ist (Sudendorf, 37). Sexuelles anderer Art ist sichtbar in dem einteiligen engen Hosenanzug, den Barbara, die Besitzerin der »Asphaltbar« in *Angst essen Seele auf*, trägt, wobei das Leopardenfellmuster ostentativ anzeigt, dass sie eine Frau ist, die Ali nicht nur als Kunden an sich bindet, sondern ihn auch sexuell fangen und als Opfer halten will. Ihre »Raubtier«-Dominanz in der Art einer Wedekind'schen Lulu kommt zum Ausdruck in der Mise-en-scène, mit der Fassbinder Ali als Objekt im weiblichen, beherrschenden Blick zeigt.

Kleidung als Charakterisierungsmittel ist besonders interessant, wenn es nicht zur Kennzeichnung des Typischen oder Individuellen eingesetzt wird. Travis in *Paris, Texas* wird am Anfang des Films als ein Wanderer gezeigt, verloren in westlicher Wüstenlandschaft, quer durchs Gelände sich bewegend wie ein Getriebener, der seiner abgerissenen Kleidung und seinem verwahrlosten bärtigen Aussehen nach heimatlos, entwurzelt erscheint. Sein dunkler, gestreifter Anzug, das ehemals weiße Hemd, die rote Baseball-Kappe und die zerschlissenen Schuhe ergeben ein widersprüchliches Bild: Es sind unpassende Kleidungsstücke, die Gegensätze signalisieren. Angezeigt sind Widersprüche, die im Verlauf des Films einsichtiger werden. Travis ist aus der Sicherheit der Verhältnisse, der Beziehungen, des Familienganzen herausgefallen. Verunsichert in der Liebe zu seiner Frau und gepackt von maßloser Eifersucht, verübt er familiale Gewalt, der seine Frau Jane

35 Raubkatze Frau: Ali in Barbaras beherrschendem Blick
36 Walt und Travis (im Anzug mit Sportkappe) in »Paris, Texas«

in Notwehr mit einer Verzweiflungstat begegnet, indem sie Feuer legt. Es wird für Travis ein Fegefeuer, das er jahrelang durchwandert auf der Suche nach einem Neubeginn. Die amerikanische Allerweltskopfbedeckung, *baseball cap*, passt nicht zum traditionellen Anzug, wie denn Travis als Erscheinung fremd ist in der menschenleeren Umgebung. Wenders war darauf bedacht, nicht einen Menschentypus durch die Kleidung zu signalisieren, auch nicht die soziale Schicht oder Berufssphäre von Travis, sondern das Ensemble von Zeichen vermittelt dem Zuschauer sowohl das Geheimnisvolle als auch Widersprüchliche, die Konfliktgeladenheit der Figur.

Solch dialektischer Akzentsetzung bedient sich auch Herzog, indem er seine Hauptgestalt Aguirre in eine Rüstung kleidet, die zusammen mit einem bedacht ausgewählten Körperfehler, dem Nachschleifen eines Fußes, die Figur dieses starken Mannes widerspruchsvoll auflädt; vor allem erscheint er als Machtmensch, der aus dem Hintergrund heraus alle Fäden in der Hand hält. Seine Rüstung, Helm und Brustpanzer machen einen soliden Eindruck, obwohl der vom Urwaldklima verursachte, sich ansetzende Rost diesen Eindruck einschränkt und den Kontrast zur natürlichen Umgebung erhöht, in der der Gepanzerte als

Fremdkörper erscheint. Zu Aguirres heimtückischem Gehabe passt sein schiefer Gang, Beispiel sinnvoller Körpersprache, die zur negativen Charakterisierung dient, unterstützt von dem Armschutz, dessen viele Segmente Aguirre etwas Reptilienhaftes, in der Bewegung Schlangenmäßiges verleihen, ihn als gefährlichen Schleicher, als Bösen, Falschen charakterisierend. Herzog setzt noch einen anderen Akzent. In den wenigen Szenen, wo Aguirre ohne seine Rüstung auftritt, trägt er ein weites rosa Hemd mit offenem Kragen, über das sein langes Blondhaar in Wellen sich ergießt. Diese femininen Züge, gepaart mit dem schäkernden Verhalten seiner Tochter Flores gegenüber, suggerieren nicht etwa Aguirres ›menschlich-weiche‹ Seite, sondern seinen maßlosen Narzissmus, der sich auch in seinen Inzestfantasien am Ende offenbart, wenn er in deutlicher Demenz seine (inzwischen schon getötete) Tochter heiraten und eine Super-Dynastie begründen will. Herzogs dialektische Bildsprache hat die Zuschauer eingeweiht in die monströsen Widersprüche eines Größenwahnsinnigen und Fanatikers der Macht.

Beleuchtung, *Lichtführung* und *Raumgestaltung* sind, zusammen mit der Kameraführung, weitere wichtige Elemente der Mise-en-scène. Besonders in der Schattenkunst des expressionistischen Films wird der Gegensatz von Licht und Schatten ausgenutzt, das Verunsichernde, Doppelbödige, Beängstigende und Unheimliche zum Ausdruck zu bringen, etwa in der Treppensequenz in *Nosferatu*, wo die Figur als bloßer Schatten sich bewegend den nahenden Horror eindrucksvoll ankündigt (vgl. Abb. 7). In *Caligari* wird der zweite Mord als Schattenspiel inszeniert, der im Bett aus dem Schlaf aufgeschreckte Alan sucht entsetzt mit beiden Armen und gespreizten Händen die Gefahr abzuwehren, wird aber von dem nur als Schatten an der Wand sichtbaren Mörder überwältigt und erdolcht. Es ist Filmhorror im Horrorfilm.

Der vom expressionistischen Schattenfilm inspirierte *film noir* verwendet den »low key style«, wobei die Lichtquellen an ungewöhnlichen Stellen platziert werden, um die Dunkeleffekte der »Schwarzen Serie« zu erzielen, hauptsächlich durch ein schwaches Führungslicht (»key light«) auf Schauplatz und Figuren, während die zusätzlichen Fülllichter das bedrohliche Ambiente verstärken. Jede Lichtform (man unterscheidet Haupt-, Spitz-, Füll-, Vorder-, Ober-, Gegen-, Seiten-, Unter-, Hinterlicht, auch hartes und weiches Licht, d. h. Weichzeichner) hat ihre besondere Wirkung. Gegenlicht etwa verwandelt Personen in Silhouetten, extremes Unterlicht verleiht Gesichtern ein unheilvolles Aussehen. Hell angestrahlte Gesichter erscheinen hart und grob (Faulstich 2002, 146 f.).

Beleuchtung als Überwältigungsmittel, oft genug im Gangster- und Polizeifilm und *film noir* als Beleuchtungslampe mit einem stechenden Lichtschein zu finden, setzt Lang in *Metropolis* ein, als Rotwang die keusche, Glaube, Friede, Hoffnung predigende Maria in den Katakomben überrascht, die Kerzen auslöscht, die furchtsame, entgeisterte ›Jungfrau‹ mit dem Lichtstrahl seiner Taschenlampe vor sich hertreibt und in seiner Alchemistenhütte in deutlicher Anspielung auf eine Vergewaltigung über den Tisch nach hinten beugt und überwältigt. Das Licht, normalerweise, auch in *Metropolis,* positiv besetzt als Quelle (göttlicher) Erleuchtung, des Lebens, der Wahrheit, zeigt in diesen Szenen seines gewaltsamen Missbrauchs luziferischen Charakter.

Filmisch autoreflexiv, also bewusst als Mittel im Film eingesetzt, erscheint im *Blauen Engel* bei der ersten Begegnung zwischen der Varieté-Sängerin Lola Lola und Rath das Licht. Von der Bühne aus richtet sie einen Scheinwerfer (Führungslicht) auf den nach seinen Schülern suchenden Professor, womit sie diesen gerade eintretenden Moralvertreter in dem mit Fischnetzen dekorierten Saal zu den gesungenen Worten: »Kinder, heut abend, da such ich mir was aus. Einen Mann, einen richtigen Mann« ›einfängt‹. Diese selbstbewusste Botschaft enthüllt in der ›Lichtaktion‹ ihre ironische Frivolität darin, dass sie Raths

Mangel an erotischer Erfahrung »ans Licht« bringt (Sudendorf, 62). Denn sein Flirten erschöpfte sich bislang darin, dass er »allenfalls mit dem Vögelchen in seinem Käfig kokettiert« hat (Salber, 44), ein Kokettieren, das transparent wird, wenn Rath die von seinen Schülern konfiszierten Postkarten der »Künstlerin« heimlich beliebäugelt und »mit pustend-geilem Blick« die Federn hochbläst, die ihre Scham und bestrapsten Beine bedecken (Sudendorf, 64). Raths verdrängtes Begehren ist erweckt und sucht spielerisch Zugang zur Welt des Eros.

Bauten sind für die Wirklichkeitsillusion im Film, ob realistisch oder übernatürlich, von entscheidender Bedeutung (vgl. Albrecht). Der deutsche expressionistische Film ist bekannt für sein Filmdekor in eigenwilligen Studiobauten, die bizarre Wirklichkeiten, künstliche Welten darstellen (vgl. Weihsmann). Diese verfremdenden Realitätsbilder haben den Effekt, Unwirkliches, Visionäres, Unheimliches zu suggerieren. Das trifft z. B. auf den Horrorfilm *Das Cabinet des Dr. Caligari* zu. Die gemalte Szenerie war nicht nur aus Kostengründen vorteilhaft, sondern Ausdruck einer Konzeption, die Wirklichkeit als aus den Fugen geraten darzustellen. Das Winklig-Schiefe, Verzerrte und Dezentralisierte versetzte dem Zuschauer einen Schock. Aber es gibt in dem Film auch runde Formen. Das Wohnzimmer, wo Jane, die Tochter Dr. Olfens, sich wie eine gute höhere Tochter lesend aufhält, ist durch austernschalige Formen bestimmt, was die geschlechtsspezifische Differenzierung des Dekors unterstreicht. Die weibliche Sphäre ist frauenspezifisch ausgestattet, um sie durchaus klischeehaft als weichen Bereich vom

37 Femininer Dekor, Raum: Jane in »Das Cabinet des Dr. Caligari«

Spitzen, Harten abzuheben. Was dabei geleistet wird, ist eine Erotisierung der Szenerie, die eine verborgene Thematik des Films, das verdrängte Begehren Caligaris, hervorhebt.

Krasse soziale Gegenwelten ergeben die Studiobauten in *Der letzte Mann*. Murnau hatte *Nosferatu* an natürlichen Drehorten in Lübeck, Wismar und den Karpaten gedreht, entschied sich aber bei seiner expressiven, auch melodramatischen Darstellung des Schicksals eines alternden Portiers ganz für Studienbauten. Das exklusive Hotel Atlantic, umgeben von imposanter städtischer Szenerie und Verkehr, steht in scharfem Kontrast zur glanzlosen Hinterhofwelt der Mietskasernen, die das soziale Elend

38 Die Stütze im Hinterhof in »Der letzte Mann«

der niedrigen Klasse darstellt. In dieses mickrige Armeleuteniveau bringt der Portier mit seiner stattlichen Uniform etwas Glanz aus der anderen Welt. Interessant ist die Stütze zwischen den Hinterhofbauten, als ob sie den bevorstehenden Zusammenfall der Häuserfronten verhindern sollte. Die Stütze ist, um neunzig Grad gedreht, einer die Arme in Verzweiflung ausstreckenden Figur ähnlich. Auf versteckte Weise ist das expressionistische Pathos der Passion in die Szenerie mithineingenommen, wie denn auch der Film viele versteckte symbolische Anspielungen auf Mythologisches aufweist (vgl. Abb. 55/56).

Die Bauten in *Metropolis* sind mühsam hergestellte Modelle bzw. Studioattrappen, die auf vielseitige Weise die Thematik gigantischer Hierarchie repräsentieren. Die Oberstadt, eine Zukunftsvision futuristischer Stadtlandschaft enormen Ausmaßes, betont durch die schluchtenähnlichen Tiefen zwischen den wolkenkratzerhaften

Bauten und Türmen vor allem das Vertikale, das in der sozialen Struktur seine Entsprechung findet. Die kolossal uniforme Massenarchitektur der Arbeiterwohnungen in der Unterstadt, noch unterhalb des Bereichs der Herzmaschine, die die Energieversorgung garantiert, drückt das Ausgebeutetsein und Entfremdetsein der versklavten Arbeiter aus. Die mythisch extremen Dimensionen der Metropolis-Szenerie werden durch die demonstrative Bezugnahme auf das Turmbau-zu-Babel-Gleichnis und seine Verbildlichung noch verstärkt. Nachahmung dieser Metropolis-Welt findet sich in den Bauten von *Batman Returns*, wo eine ähnliche Unter- und Oberwelt, eine entsprechende Stadtfuturistik zum Ausdruck kommt.

Das Gigantische als Ausdruck überdimensionaler Figuren ist auch Kennzeichen der Bauten in *Citizen Kane*, dessen Schloss Xanadu eine Anlage wie zur Befriedigung größenwahnsinniger Ansprüche darstellt. Der alternde Zeitungsmagnat Kane herrscht in diesem Reich, wo seine bescheidene Frau Susan, die seine Wünsche nach Glanz und Erfolg als Sängerin kläglich enttäuscht hat, in riesigen Hallen vor ebenfalls riesigen Kaminen allein sich übergroßen Zusammensetzspielen hingibt, ohne dass ihr ein Gelingen beschert ist. Szenerie und Raum, Platzierung der Figur und Kameraperspektive ergeben eine Entfremdungssituation, die in ihrer Aussagekraft expressionistisch anmutet.

Lola rennt ist ein Beispiel dafür, dass selbst im angeblich realistischen Dekor, hier die Berliner Stadtlandschaft, durch Modifikation dennoch eine Intensivierung des Ausdrucks bzw. der Symbolik erreicht werden kann. Manni steht an einer Telefonzelle und Straßenkreuzung zwischen dem Restaurant »Spirale« und dem Supermarkt »Bolle«, den er auszurauben sich entschließt. Die Spirale, die er Lola als Markierung seines Standorts nennt, wurde der Fassade hinzugefügt, um die symbolische Bedeutung im Film zu erhöhen. Bauten, Szenerien haben also seit Anfang des Films ›sprechende‹ Eigenschaften, die mit hohem Signalwert signifikante Ausdrucksaufgaben übernehmen.

Raumgestaltung im Film hat anders als auf der Theaterbühne die Beweglichkeit umfassender Raumerfahrung durch die suggestive Wirkung der zusammenmontierten Bildaspekte. Aber Filmraum ist nicht nur ein Erlebnis imaginärer Räumlichkeit, die den empirisch messbaren simuliert, sondern auch die Erfahrung symbolischer Raumordnungen, die andere Beziehungen der Filmsubjekte, d. h. der Figuren im Film, und des zuschauenden Individuums organisiert. Aspekte solcher Filmräume sind z. B. das Soziale, Psychologische, Symbolhafte. In *Der letzte Mann* ist die Kontrastierung des Hotels Atlantic mit dem Hinterhof eine im Bildraum sichtbare soziale Gegenüberstellung, die die Welt der Reichen und des Luxus mit der der Unterschicht und ihrer Armut konfrontiert. Die strenge Betonung des Vertikalen in *Metropolis* bringt in den Raumbeziehungen die soziale Hierarchie zum Ausdruck. Im *Cabinet des Dr. Caligari* ist die exzessive Verwinkelung der dargestellten Welt eine bildliche Entsprechung der Problematik der derangierten Psyche. Das Kranksein wird in diesem Film als Erzählung eines geisteskranken, halluzinierenden Anstaltsinsassen thematisiert, aber ist auch gegenwärtig in seiner Erzählung von dem Trauma, das er von der Figur des Doktors und seiner unheimlichen Doppelexistenz erlitten zu haben glaubt. Leicht erkennbar ist der in der dargestellten Räumlichkeit mitausgedrückte psychologische Raum.

Eine symbolhafte Raumgestaltung bietet auch Fassbinder, der z. B. in *Angst essen Seele auf* Raum als intensivierendes Ausdrucksmittel einsetzt, indem er durch die Isolierung der Figuren in jede Bewegung eingrenzenden Räumen oder durch Einrahmungen der Figuren bei oft starrendem, unbeweglichem Kamerablick eine Einengung darstellt, die Situationen der Beraubung der (Bewegungs-)Freiheit und des Gefangenseins vermittelt.

Der *Kamerablick*, bewegt, unbewegt, ist der Wahrnehmungssensor, der die Mise-en-scène aufnimmt und durch die eigene Stellung mitbeeinflusst, in einer unverkennbar komplexen Subjekt-Objekt-Beziehung (vgl. *Kamerastile*). Die Vielfalt technischer Blickmöglichkeiten übersteigt, durch den dauernden Wechsel der Einstellungen (und Schnitte), die Grenzen natürlicher menschlicher Wahrnehmung. Kamera(-Kran)fahrten und andere Bewegungsmöglichkeiten, vor allem im heutigen digitalen Bereich, schaffen ungeahnte imaginäre Sehfähigkeiten. Darum ist umso erstaunlicher die ›gefesselte Kamera‹, deren starrer Blick eine Stasis des Räumlichen vermittelt, die ein beunruhigendes, sogar beängstigendes Raumerlebnis erzielt. Ebenfalls in *Angst essen Seele auf* filmt Fassbinder eine Liebesszene zwischen dem in seiner Ehe unglücklichen Ali und seiner alten Freundin Barbara. Die Kamera bleibt fixiert auf einen Korridor und das sich dahinter öffnende Schlafzimmer, wo sich Ali entkleidet und Barbara, aus dem Badezimmer kommend und das Hauptlicht ausschaltend, sich zu ihm stellt und ihn zu sich auf das Bett herunterzieht, wo beide eine Weile fast bewegungslos aufeinander liegen bleiben, bis nach dieser ›zerdehnten‹ Einstellung abgeblendet wird. Wiederum auffallend ist die Rahmensetzung, im wörtlichen Sinne, die Kamera schaut aus ziemlicher Entfernung durch den das Blickfeld enorm verengenden Türrahmen auf die beiden, die nur das Nötigste an Bewegung leisten, um die Vorstellung von Liebeshandlung anzuzeigen. Aber kein hollywoodmäßiger Schnitt, keine hautnahe Einstellung zur voyeuristischen Teilhabe am Liebesgeschehen erfolgt. Aus der Ferne und in der relativen Dunkelheit, eine Lampe im Zimmer dient noch als Lichtquelle, ist kaum zu erkennen, ob die entblößten Körper den eigentlichen Liebesakt vollziehen. Fassbinder verwendet nicht nur das für ihn typische, durch die zeitlich überlange Einstellung überdeutlich gemachte Distanzierungsverfahren. Er vermittelt auch einen Beziehungsraum menschlicher Interaktion, der seine Einsicht in die Fremdheit und Ausbeutung, die er in den zwischenmenschlichen Beziehungen immer wieder betont, manifestiert: »Die Liebe, ein Unterdrückungs-instrument« (Töteberg 2002, 73). Auch seine Kamera-arbeit schafft Raum als multiple Erfahrung von mensch-lichen Verhältnissen, im Sozialen, Psychologischen, Sym-bolischen.

Körperbilder sind, von Schauspielern vorgestellt, aber vor allem von der Kamera vermittelt, die wesentlichen Signi-fikanzformen auf der Suche nach Sinngebung im Film. Anders als auf der Theaterbühne, wo der Zuschauer die Figuren in einem räumlichen Abstand wahrnimmt, ver-schafft der Film die Illusion von Nähe. Besonders im jün-geren Kino sind weltweit die Formen imaginärer Intimität und visueller Inbesitznahme der Leinwandkörper so ex-trem geworden, dass sich Zuschauer nahezu in jedem Augenblick potent nah zu den gelieferten Images fühlen. Bei der Präsentation der Stars hat die Ausschließlichkeit von engem visuellen Kontakt solche Formen der Haut-nähe entwickelt, dass man von einer Übersexualisierung des Filmsehens sprechen kann. Schaulust wird zur Seh-lüsternheit. Immer mehr werden die Körper der (geliebten, bewunderten, begehrten) Figuren zerlegt in blickinten-sivierende Einzelteile für jenes Gaffen, dessen gefräßige Genusssucht gefüttert wird mit Schnäppchen vor allem erotisierter Fleischlichkeit. Während die Beine der Mar-lene Dietrich zumeist noch einem ganzen Körper angehör-ten, schreitet die Körperzerlegung unaufhaltsam voran, in der Werbung, im MTV-Bereich, im Film, was eine Be-schleunigung der Sehgewohnheiten verrät, die John Berger schon 1974 kritisch untersucht hat. Die Figurendefor-mation hat vor allem im pornografischen Film eine unvor-stellbare Körperreduktion auf bloße Geschlechtsteilfunk-tionen und die damit einhergehende mechanische Akro-batik erbracht, die im Mainstream-Film immer mehr in den Fokus kommt (Linda Williams in: Nowell-Smith 1998, 451).

Ein Körperraum wird so geschaffen, der ein Detailchaos zu einer Scheinganzheit montiert und im Zeitraum die sensationslüsterne Wiederholung des Immergleichen bietet. Das Fortschreiten weicht dem Kreislauf überhitzten, reizüberschwemmten Konsums. Aus Schaulustigen werden bloße Verbraucher und Film mutiert in eine Branche zur Befriedigung sinnlicher Langeweile, auch wenn er sich mit Schickeria bestückt wie *Rossini oder die mörderische Frage, wer mit wem schlief* (1996) und als »Sittenkomödie« oder gar »Satire auf den Jahrmarkt der Eitelkeiten« der Filmbranche gilt (*Reclams Filmführer*, 580).

5.7. Die sozialkritische (marxistische), ideologiekritische Methode

In der deutschen Filmanalyse existiert seit der theoretischen Reflexion in den sechziger Jahren eine starke Tendenz, so noch bei Korte (²2001), Inhaltsanalyse und Ideologiekritik als Hauptansätze zu unterscheiden. Kuchenbuch (60–68) bewertet in seinem historischen Abriss der Filmtheorie das »anthropologisch-kulturkritische Bestreben« in Kracauers *Theorie des Films* als Fortsetzung von Béla Balázs' Positionen zum Film. Als Neuerungen hebt er Knillis Bemühungen um die Rezeption des französischen Strukturalismus und Prokops soziologische Theoriebildung hervor. Schaaf nennt als ideologiekritische Positionen den Strukturalismus (wohl nur auf Althussers Version zutreffend) und bestimmt als Erkenntnisinteresse einer solchen Filmanalyse, »zu überprüfen, ob bestimmte den Film charakterisierende Handlungsstrukturen den Bewußtseinsstrukturen der jeweiligen Gesellschaft entsprechen oder umgekehrt: ob bekannte Bewußtseinsstrukturen der Gesellschaft Eingang in die Filmstruktur gefunden haben« (Silbermann, 99). Dieses von Lucien Goldmanns Soziologie der Literatur herstammende Modell der homologen Strukturen, dass also Film und

Gesellschaftsbewusstsein strukturelle Entsprechungen aufweisen, macht noch nicht die Eigenart der Ideologiekritik aus. Korte ([2]2001, 18) weist denn auch auf spezifisch deutsche Entwicklungen hin: die von der Studentenbewegung und der gesellschaftlichen Reformdiskussion der sechziger Jahre geübte Kritik an »Ware und Ideologieträger« und an der »herrschaftsstabilisierenden Funktion der Massenmedien«. Solche Entlarvungsstrategien der Ideologiekritik gründen sich auf die Positionen der Frankfurter Schule, vor allem auf die kritischen Thesen zur »Kulturindustrie« in Max Horkheimers und Theodor W. Adornos *Dialektik der Aufklärung* (1947). Horkheimer/Adorno üben scharfe Kritik an der Kulturindustrie im Kapitalismus nicht nur wegen der Kommerzialisierung der gesamten Kulturproduktion (Kunst als Ware), sondern vor allem an den darin sich spiegelnden Herrschaftsverhältnissen, die in der affirmativen Kultur ideologiekonform bestätigt werden, während Kultur den Auftrag erhält, ideologiekritisch und emanzipatorisch zu wirken.

Sinn und Zweck einer **ideologiekritischen Filmanalyse** ist es, Herrschaftsstrukturen aufzudecken, zugleich zwischen Werkanalyse und Gesellschaftskritik zu vermitteln und auch die anderen Zugangsweisen, formale, strukturale, psychoanalytische, Blickanalyse usw. miteinzubeziehen. Diese Methodenverschränkung soll an den nächsten Beispielen, die das Soziale mit dem Inhaltlichen verknüpfen, skizziert werden.

Schaaf wählt als Beispiel für eine ideologiekritische Strukturanalyse Volker Schlöndorffs *Der junge Törless* (1965), um Korrespondenzen zwischen filmischer Struktur und sozialer Wirklichkeit anhand von ideologischen Tendenzen entweder kollektiver oder individueller Handlungen aufzuweisen. Robert Musils Roman *Die Verwirrungen des Zöglings Törless* stellt Jugendliche in einer provinziellen Militärakademie in ihren Pubertätskrisen dar. Schulsystem und psychische Not der Zöglinge kollidieren. Die Schule als Anstalt und die Lehrer als Erzieher versagen in dieser wichtigen Sozialisationsphase, sodass die jungen Menschen sich selbst und ihren ungelösten Triebimpulsen überlassen bleiben, ob bei der Dirne im Dorf oder in homoerotischen Beziehungen. Törless, ein sensibler, intelligenter, zum Ästhetischen und Philosophischen neigender Schüler, gerät unter den Einfluss von zwei sadistischen Kameraden, Beineberg und Reiting, die einen schwachen, unterwürfigen Mitschüler, Basini, nicht nur wegen eines Diebstahls quälen, sondern auch sexuell missbrauchen und Grausamkeitsritualen unterziehen, bei denen Törless Mitwisser, voyeuristischer Zuschauer und passiver Beteiligter wird, bis er sich dem Sog dieser Gewaltanwendung und Selbsterniedrigung entzieht und Basini zu warnen sucht. Nach den verständnislosen Reaktionen der Lehrer, denen er vergeblich seine Erfahrung zu erklären versucht, geht Törless von der Schule ab. Musil legt nahe, dass er einen Reifeprozess durchlaufen hat.

Schlöndorffs Film wird gerühmt für seine filmische Differenziertheit, Genauigkeit und distanzierte Haltung in der Darstellung dieser Pubertätskrisen (*Reclams Filmführer*, 347). Körperliches Erwachen, psychische Nöte, Gefühlsschwankungen und Unsicherheiten geistiger Existenz rufen in den Jugendlichen eine gesteigerte Identitätsproblematik hervor. Musil macht deutlich, dass unterhalb der scheinbar wohltemperierten bürgerlichen Lebenswelt eine dunklere der Grausamkeit, Gewalt und atavistischer Triebe herrscht, die oft als Vorwegnahme des unmenschlichen Potentials im Faschismus angesehen worden ist. Buch und Film isolieren den Blick auf die Jugendlichen im Zwangssystem der Schule, wo die Reglementierung von Erziehung und Alltag keine Hilfestellung bei den unweigerlich auftretenden Krisen bietet. Ideologiekritisch ist Schlöndorffs Sicht insofern, als sie das Bedürfnis, Gewalt anzutun, zum Produkt eines gesellschaftlichen Mangels erklärt. Aufgrund gesellschaftlicher Erstarrung kommt es zu keiner überzeugenden Vermittlung von Werten, die sich die Jugendlichen zu Eigen machen könnten. Nach seinem ethischen Abstieg und Selbstverlust durch sein Dulden der Grausamkeiten, durch seine Anpassung an die Täter und sein Mitmachen bei dem Geschehen, einen Menschen zu quälen und zu erniedrigen, erlebt Törless eine Wandlung, als er sich zur Ablösung von der Gruppendynamik entschließt. Es ist seine Form der Ideologiekritik, indem er das falsche Bewusstsein und unethische Verhalten der beiden Hauptschuldigen erkennt und zurückweist.

Ohne gefühlsmäßige Identifikationsangebote und auf Distanz bedacht, gelingt dem Film ebenfalls eine ideologiekritische Leistung. Er weist nicht nur am Beispiel der Defizite im schulischen System auf gesellschaftliches Fehlverhalten hin, sondern er macht transparent, inwieweit die Erziehungsanstalt das Ungenügen sozialen Denkens widerspiegelt. Die jugendlichen Grausamkeitsfanatiker, die sich Rechtfertigungen für ihr Handeln in mystisch-verschwommenen Lehren zurechtlegen, sind Produkte falscher Ideologie und verfehlter Praxis einer keineswegs harmonisierten Gesellschaft. Gewalt wird als Unterseite von Anstand und Sitte eines Bürgertums enthüllt, das nicht nur Klassengegensätze duldete, sondern auch schon die Hauptstrukturen von Rassismus und Faschismus in sich trug.

Stanley Kubricks schwarze Komödie *Dr. Strangelove, or: How I Learned to Stop Worrying and Love the Bomb* (*Dr. Seltsam oder Wie ich lernte, die Bombe zu lieben*, 1964) ist ebenfalls Beispiel einer filmischen Ideologiekritik, die sich hier mit dem militaristischen Denken und Apparat der USA zur Zeit des Kalten Krieges auseinander setzt, aber vor allem zeigt, wie das atomare Gleichgewicht der beiden Großmächte zu verheerenden Folgen führen kann, wenn Ideologiebesessene wie der amerikanische Luftwaffengeneral Jack D. Ripper (die Namenssymbolik ist offensichtlich) ihren fixen Ideen vom Verteidigungsnotstand verfallen (und ein nukleares Bombengeschwader zum Präventivschlag losschicken). Der Wahn der Militärs und der Horror der Politiker wird in dieser kabarettistisch aufgezogenen schwarzen Komödie nicht nur zu einem Weltuntergangsszenario verdichtet, sondern ist auch den ideologischen Faktoren nach greifbar, die zur verrückten Mentalität und zum Durchdrehen Verantwortlicher führen. Zwar kann die Regierung der USA in Verhandlungen mit den Sowjets verhindern, dass es zu einem atomaren, die Erde vernichtenden Gegenschlag kommt, aber die Logik des Wettrüstens und ihre beängstigenden Konsequenzen werden nur zu deutlich, vor allem auch in dem überspannten Gehabe des gebürtigen Deutschen Dr. Seltsam, einem Überbleibsel aus Hitlers Raketenprogramm in amerikanischen Diensten. Die Zuschauer vermögen das aberwitzige Komödienspektakel zu genießen, wenn der versprengte Einzelbomber, der nicht mehr rechtzeitig zurückgerufen werden konnte, seine Last ausklinkt und der Pilot auf der Atombombe reitend zunächst münchhausenhaft die Lachmuskeln kitzelt; aber das Lachen vergeht, wenn in Dokumentaraufnahme die Atombombe explodiert. Da hat der Spaß sein Ende. Die Ideologiekritik konfrontiert die Zuschauer mit den harten Realitäten irrsinniger Vernichtungswaffen und -systeme.

Marxistische Filmanalyse lief im real existierenden Sozialismus, wo sie sich den kulturpolitischen Zwängen bequemen musste, wie der Film selbst Gefahr des Gelenktwerdens und des Doktrinären. Grundsätzlich postuliert die vom historischen Materialismus von Marx und Engels bestimmte Theorie, die Kunst als Widerspiegelung der sozialen Wirklichkeit in ihren Klassengegensätzen aufzufassen. Das führte unter der Ägide der kommunistischen Partei dazu, gesellschaftliche Widersprüche und die ihr zugrunde liegenden Faktoren wie Ausbeutung, Dehumanisierung im Arbeitsprozess, Entfremdung und Verdinglichung nur in der bürgerlich-kapitalistischen Gesellschaft zu suchen und anzuprangern. Ebenso bestand die Aufgabe, ja die Verpflichtung, eine Perspektive für eine revolutionäre Veränderung der Klassenverhältnisse zu schaffen, durch Parteinahme, revolutionäre Agitation, etwa die Agitprop-Phase sowjetischer Filmkunst, bevor sich die ›Russenfilme‹, wie sie in den zwanziger Jahren hießen, von der reinen Propagandafunktion abwandten und dialektischere Werke schufen, etwa Eisensteins *Panzerkreuzer Potemkin*, der das Propagandistische in die Filmkunst hineinarbeitet, statt es nur plakativ von außen aufzusetzen.

Für Brecht war ein Werk wie *Die Dreigroschenoper* (1928), an dem Elisabeth Hauptmann entscheidenden Anteil hatte, ein Mittel, im viktorianischen Zeitstil die kapitalistischen Machenschaften und Herrschaftsverhältnisse der spätbürgerlichen Gesellschaft zu demaskieren. Die Verfilmung G. W. Pabsts (1931) lehnte Brecht als »trauriges Machwerk« ab, weil sie seinen Vorstellungen vom Verfremdungsstil nicht entsprach. Der berühmte Dreigroschenprozess diente dem Stückeschreiber dann zur Attacke auf die kommerziellen Kulturmedien. In der Brecht-Literatur kommt Pabsts Film durchweg schlecht weg. Wolfgang Gersch findet bei ihm »keine politisch bewußte Analyse« und er bemängelt auch: »Soziale Motive und Folgerungen blieben ausgespart« (1975, 68). Brechts Doktrin der Verfremdungseffekte und des Lehrhaften, das sich dozierend zwischen Handlung und Zuschauer schiebt, um aufklärerisch störend einzugreifen, diesem intellektuell plakativen Affront steht Pabst nicht nahe. Sein Filmstil berücksichtigt nicht das Brecht'sche Bedürfnis nach Schock und Aggression. Dennoch lassen sich in Pabsts Filmsprache ideologiekritische Merkmale finden, nach Jan-Christopher Horak sogar mit größerer marxistischer Überzeugungskraft als bei Brecht (vgl. »Threepenny Opera: Brecht vs. Pabst« in: *Jumpcut* 15. Juli 1977; Segeberg 2000, 319 ff.).

Verdinglichung ist eine besonders wichtige Kategorie, verweist sie doch auf das Entfremdetsein im Ausbeutungsprozess. Mackie Messer, Herzensbrecher, Mädchenschänder, Killer, verlässt ein Bordell, äußerlich ein Gentleman, aber indem ihm Stock (mit versteckter Klinge) und Handschuhe von den Huren durchs Fenster nachgereicht werden, ist seine Zwielichtigkeit schon evident. Wenig später begegnet er Polly, der Tochter des Bettlerkönigs Peachum, die in Begleitung ihrer Mutter flaniert. Bevor Mackie sie auf der Straße anspricht und zum Tanz in eine Keller-spelunke einlädt, hat er sich an die beiden Frauen heran-gemacht, während sie dem Moritatensänger zuhören, der Mackies Sündenregister heruntersingt. Alsdann gehen Mutter und Tochter an einem Laden vorbei mit einer im Schaufenster ausgestellten Puppe im Hochzeitskleid, das Pollys Interesse erregt. Neben dem Mannequin erscheint dann Mackies Spiegelbild, lebensgroß, schon sind sie ein virtuelles Paar, der Macker und seine Puppe. Als sie sich umwendet, steht er realiter neben ihr. Kein erotisch ge-stimmter Begleiter, sondern ein Beherrscher. Pabst erreicht zweierlei in dieser Mise-en-scène. Pollys mädchenhafte Naivität im Hinblick auf das Heiraten und ihre Bereit-schaft zur Partnerschaft werden signalisiert. Zugleich ist sie Mackie (symbolisch) als ein Ding, ein Spielzeug beige-sellt. Der Laden als Ort des Warentausches verdeutlicht den Warencharakter menschlicher Beziehungen, ebenso die Verdinglichung der Frau als Objekt des männlichen Begehrens und Besitztriebes. Pabst gelingt es, in der Bild-sprache implizit einer Analyse der kapitalistischen Gesell-schaftsverhältnisse vorzuarbeiten.

Ähnlich ideologiekritisch geht seine Filmsprache in der Szene vor, als Polly nach Mackies erzwungenem ›Ge-schäftsurlaub‹ – die Polizei ist hinter ihm her – das Kom-mando seiner Bande übernimmt, wobei einer der Ganoven ihre Kompetenz moniert, weil sie als Frau nicht der »rich-tige Mann« sei. Sie verschafft sich Respekt durch eine ge-salzene Ohrfeige, die von der ganzen Bande als Bestä-tigung ihrer Führungsqualitäten (sie habe das »richtige Wort« gefunden) gefeiert wird. Gewaltsames Durchsetzen ist nicht nur männliche Domäne, sondern auch Frauen eig-net, wenn sie sich als Figuren der Macht geben, dieses Durchsetzungsvermögen. Bildsprachlich hat Pabst in dem Lagerhaus jene Stelle ausgesucht, wo eine Leiter zwischen ungeheuer großen Fässern zu beiden Seiten nach oben führt. Leiter und Fass haben symbolische Signifikanz, ist doch die Leiter des Erfolges, den Polly hier bedenkenlos und kräftig sich erobert, offensichtlich; ebenso signalisieren die Fässer nicht nur Praktisches, etwa Volumen und Stauvermögen, sondern Opulenz, materiellen Reichtum, Akkumulation, Machtfülle, Kapital. Brecht hatte ja in den Bankräubern das räuberische Prinzip des Kapitalismus bloßstellen wollen. Pabst findet eine bildnerische Mise-en-scène, die ebenfalls ideologiekritisch Macht- und Ausbeutungsprinzip, das Gangsterhafte der Geschäftswelt transparent macht. Pabsts Leistung im Gegensatz zu Brechts abschätzigen und filmfernen Aburteilungen wird allmählich mehr gewürdigt (Elsaesser, 1990).

Der Film *Kuhle Wampe oder Wem gehört die Welt* (1932), eine Kollektivarbeit von Brecht, Ernst Ottwald, Slatan Dudow (auch Regie) und Hanns Eisler (Musik), ist eines der wenigen Beispiele des proletarischen Films in Deutschland. Brechts lehrstückhafte Tendenz ist nur zu deutlich: »So ist der lautlose Sprung des Sohnes aus dem Fenster Brechts eigenen Aussagen zufolge nicht als individuelle Tat zu verstehen, sondern im Gegenteil als typisch für ein Verhalten, das gesellschaftliche Konflikte als private Probleme missversteht« (*Reclams elektronisches Filmlexikon*). Brechts Konzeption nach wird kein Wert auf das Individuelle gelegt, um am Beispiel der Arbeitslosigkeit die bedrückenden gesellschaftlichen Verhältnisse, das Kollektive und das Prinzip Klassenkampf und vor allem die tödlichen Folgen kapitalistischer Ausbeutung herauszustellen. Aber Ziel marxistischer Befreiung von den Zwängen der gesellschaftlichen Widersprüche und geschichtlichen Kämpfe ist nicht nur das Kollektivschicksal, sondern auch die Emanzipation des Einzelnen, die Aufhebung der Entfremdung für das Individuum.

In der wegen ihrer Schnittfrequenz und dynamischen Montage viel gerühmten Anfangssequenz ist das Kollektiv im Fokus: die Rad fahrenden Arbeiter, wobei das Fahrrad

»das unaufhörliche Bemühen, die rastlose Bewegung, aber auch deren Zwecklosigkeit, auf der Suche nach Arbeit symbolisiert« (Marsiske, 82). Bei dieser Suche in ihrer Vergeblichkeit und als entfremdende Arbeit betont die hektische Eisler-Musik ebenfalls das Typische. Vernachlässigt wird der Blick auf die Dialektik von Individuum und Kollektiv, besonders bei dem Arbeitersportfest, das mit seinen endlosen Sprechchören und langen filmischen Totalen zu Eintönigkeit führt. Das Individuelle geht im kollektiv inszenierten Agitprop-Spiel unter, auf einer quadratischen Bühne, umgeben vom Publikum, wo das politische *tua res agitur* vorgeführt wird. Gruppe, Kollektiv, die Einzelfigur ist dabei ausgeschaltet. Allerdings ist dieser Kollektivismus unterschieden vom faschistischen Prinzip der Masse, die, man denke nur an Leni Riefenstahls *Triumph des Willens* (1935), den Einzelnen ganz zum Massenwesen erniedrigt und dem Führer und autoritären Führerprinzip unterstellt.

Ein Film wie Frank Beyers *Jakob der Lügner* ist nicht typisch für DEFA-Filme und die DDR, weil zu eigenwillig in der Gratwanderung, was Thema (Ghetto, Holocaust) und Handhabung von Geschichte ohne direkte Bezugnahme auf die Wirklichkeit des real existierenden Sozialismus angeht. Dennoch vermag eine ideologiekritische Betrachtungsweise Szenen zu erkennen, die eine sozialistische Ästhetik verdeutlichen. Das Beispiel ist von schwarzer Komik. Denn Jakob Heym kommt in arge Bedrängnis mit seiner Behauptung, ein Radio zu haben, ohne wirklich eins zu besitzen. Wegen der aufsässigen Wissensbegier seiner Ghettomitinsassen stiehlt er sich einmal bei der Arbeit auf dem Verladeplatz in das Klo der deutschen Wachmannschaften, um vom dortigen Zeitungspapier Neuigkeiten zum Verbreiten zu ergattern. Ein Soldat, der Durchfall hat, reißt die Klotüre auf, aber Jakob versteckt sein Gesicht hinter der Zeitung, um dem Erkanntwerden zu entgehen. Kowalski, ein Freund, aber auch lästiger Erfrager des Neusten, schaltet sich blitzschnell ein, wirft einen Kistenstapel um, um den Soldaten abzulenken, der auch prompt auf Kowalski losstürmt und ihn wütend grün und blau schlägt, bis sein inneres Muss ihn zum Klo zurückzwingt. Jakob hat diesen Moment zur Flucht genutzt und bedankt sich bei dem übel zugerichteten Wohltäter und Retter, der ihm gram ist, trotz alledem. Für einen Holocaustfilm geschieht dann etwas Unwahrscheinliches, vielleicht vergleichbar mit der Ausnahmehilfe, die Major Hosenfeld in Polanskis Film *Der Pianist* dem Klavierspieler zukommen lässt. Der Soldat, der eben noch Kowalski zusammengeschlagen hat, das Klischee vom brutalen Deutschen erfüllte, nähert sich seinem jüdischen Opfer und, während er sich eine Zigarette in den Mund steckt, lässt er absichtlich zwei weitere Zigaretten auf den Boden fallen, als wolle er sich bei Kowalski für das angetane Unrecht entschuldigen. Es ist ein Fall sozialistischer Differenzierung, wo der Soldat nicht verzerrt als Nazibestie erscheint, sondern als jemand, der im Kern menschlich, solidarisch handeln kann, der aber unter dem Zwang der Pflicht und im Joch des Gehorsam stehend, als Instrument eines unmenschlichen Regimes seine Rolle des unbarmherzigen Wächters ausübt. Instrumentalisierung des Menschen als Beispiel seiner Entfremdungssituation, hier im Faschismus. Beyers Film argumentiert vom Stand marxistischer Analyse des Nazistaates und seiner dehumanisierenden Ordnung aus.

5.8. Feministischer Film, feministische Analyse

Schon zu Beginn des Films waren Frauen in allen Sparten, als Regisseurinnen, Schauspielerinnen usw. tätig, sahen sich aber bald in den Hintergrund gedrängt, als Kino in der patriarchalischen Gesellschaft zu einer männlichen Domäne wurde. Die in den sechziger Jahren einsetzende feministische Filmtheorie, die sich zunächst gegen die Allheitskonzeption des Strukturalismus, d. h. gegen die

Versuche einer ›totalen Theorie‹ wandte, untersuchte die Darstellung von Frauen im Film, also die Frage von *gender*, vor allem im dominanten Hollywoodfilm. Das erste Fazit war die Einsicht in die Unterordnung der Frau im Sozialen, ihre Benachteiligung und Unterdrückung in der männlich dominierten Gesellschaft und die Allgegenwart von Stereotypen des Weiblichen. Das führte zum Aufzeigen und zur Kritik von Frauenbildern, die frauenfeindliche patriarchalische Konstruktionen darstellten: die Frau als Dirne oder als reines Wesen, wie dies schon in *Metropolis* klischeehaft in der Verdoppelung der Mariafigur, Jungfrau – Robot/Maschinenwesen und Vamp, vorgeprägt war.

Die Genrekritik konzentrierte sich auf das Melodram als Darstellung der Gefühlswelt und der häuslichen (weiblichen) Sphäre, wobei die frühe feministische Kritik einen Geschlechtergegensatz postulierte, der der Frau ein eigenes, aufzuwertendes Wesen zuschrieb. Diese These vom essentiell Weiblichen wurde von den poststrukturalistischen Feministinnen stark eingeschränkt oder gar verworfen, vor allem als Lacans Psychoanalyse mit der Betonung der Sprache es ermöglichte, die angeblich festen Konzepte weiblichen Seins zu dekonstruieren und in eine Diskursanalyse zu überführen. Statt um biologisch-natürliche Geschlechteridentitäten oder festgeschriebene soziale Rollen ging es nun auch unter dem Einfluss der Diskurse der Macht von Michel Foucault darum, weibliche Existenz im Konflikt mit gesellschaftlichen Mächten zu begreifen, Frau nicht auf eine einzige Bedeutung hin zu fixieren, sondern als Wesen zu verstehen, das sich im Herrschaftskontext verschiedenartig manifestiert, entfaltet und behauptet, denn Widerstand gegen das (frauenzurücksetzende) Bestehende wird als Aufgabe der zu sich selber kommenden Frauen angesehen.

Der Rückgriff auf die Psychoanalyse führte zur Kritik an Freud, dessen Konzeptionen weiblicher Identität und Sexualität (Penisneid) zumeist abgelehnt wurden. Die im

Patriarchalischen dominante ödipale Situation nötigte zu Thesen, wie Frauen sich als Zuschauerinnen verhalten, ob sie sich dem männlichen Blick (und Begehren) bequemen oder eigene, weibliche Sehweisen einnehmen, die nicht Unterwerfung unter das Männlichkeitsprinzip darstellen. Im Allgemeinen hat das dazu geführt, Geschlecht als soziales Konstrukt/Produkt zu verstehen und Geschlechterverhalten nicht biologisch, sondern von der Sozialisation und sozialen Rolle (und dem Bewusstsein) her zu fassen. Damit kommt wieder der soziale Faktor zum Tragen, der bei der Verabschiedung von »Klasse« zugunsten von *gender* im Feminismus ausgeklammert worden war, neuerdings aber auch wiederbelebt wird in den Fragestellungen von Minoritäten, die z. B. die Erfahrungen von schwarzen Frauen (Asiatinnen, Hispanikerinnen) in den USA als grundverschieden von denen weißer Frauen ansehen.

Insgesamt hat die feministische Filmtheorie nicht nur verschiedene Phasen durchlaufen, sondern auch verschiedene Positionen erarbeitet, wie an den Arbeiten von Molly Haskell, Claire Johnston, Laura Mulvey, Tina de Lauretis, Annette Kuhn, Mary Ann Doane, Judith Mayne, Linda Williams u. a. ersichtlich ist (vgl. Brauerhoch in: *Reclams Sachlexikon*, 163 ff.; Gottgetreu; Hayward; Riecke). Ebenso sind die Filme, Verfahren, Standorte und Strategien feministischer Filmemacherinnen wie Claudia von Alemann, Helma Sanders-Brahms, Jutta Brückner, Valie Export, Ulrike Ottinger, Ula Stöckl, Monika Treut, von den im Mainstream-Kino arrivierten Regisseurinnen Doris Dörrie und Margarethe von Trotta einmal abgesehen, aufgefächert und keineswegs unter die eine Rubrik ›feministische Ästhetik‹ zu fassen (Möhrmann, 1980; Fischetti; Riecke).

Frühe feministische Filme zeigen eine Vorliebe für das Dokumentarische, spüren weiblicher Selbsterfahrung und Identitätssuche nach, wie etwa in den von Erika Runge filmisch und vor allem literarisch aufgezeichneten Lebensläufen von Frauen (*Bottroper Protokolle*, 1968) oder in

Alexander Kluges *Abschied von gestern* (1968), einem bahnbrechenden Film des Neuen deutschen Kinos. Kluges zerebrale Studie folgt avantgardistischem Filmschaffen und (über Godard vermittelt) Brechts Verfremdungslehre und Distanzierungsverfahren. Zentral für die aus der DDR stammende Jüdin Anita G., die im Westen auf der Suche nach Selbstfindung ist, wird die Erfahrung entfremdender Verdinglichung in einer Gesellschaft, die sie immer wieder zum Objekt von Interessen, Besitzansprüchen und Ausnutzungen erniedrigt, die ihr auch den Prozess macht (wegen kleiner Vergehen). Eine Entfaltung zum selbständigen weiblichen Subjekt kommt nicht zustande.

Helke Sander, die Gründerin und erste Herausgeberin der feministischen Zeitschrift *Frauen und Film* (seit 1974), ging mit *Die allseitige reduzierte Persönlichkeit – REDUPERS* (1977) ebenfalls auf die Suche nach authentischer Erfahrung und weiblicher Subjektivität. *REDUPERS* hat nicht nur eine Frau als Hauptfigur, die Fotografin Edda Chiemnyjewski, von Sander selbst gespielt, sondern entwickelt in diesem Film ansatzweise eine feministische Ästhetik: Inhalt (drei Tage aus Eddas Leben als allein stehende Frau und Mutter), Thematik (Suche und Begründung weiblichen Subjektseins), Form (chronologischer Lebensausschnitt, teils als Spielfilm, teils dokumentarfilmmäßig) und Struktur (innovative Integration von diversen Filmelementen und Reflexionsebenen zur Politisierung der Frauenperspektive) sperren sich dem kommerziellen Unterhaltungsbedürfnis, zeigen ein Ich, das seine Existenz in verschiedenen Formen persönlicher Selbsterkundung, Tagebuch, Lesen, Selbstkommentar, Selbstkritik, aufteilt im Versuch der Zusammenführung des Disparaten, was eine mitreflektierende Zuschauerrezeption provoziert.

Das zentrale Motiv der Suche wird von Sander schon zu Beginn durch Fahrten an der Berliner Mauer und an Häuserfronten entlang thematisiert, wobei der Kamerablick starr bleibt, sodass sich der Eindruck der gefesselten Kamera ergibt. Die Unbeweglichkeit steht für vieles im

Film: den Status quo in der Ost-West-Konfrontation des Kalten Krieges, die Stasis der patriarchalischen Gesellschaftsverhältnisse, die Frauen eine untergeordnete Rolle zuweisen, und das vielseitige Eingemauertsein, durch die wirkliche Mauer, die Mauern in den Köpfen, und selbst den Himmel füllen die Ideologien des Kalten Krieges, als Radioprogramme und Fernsehkonkurrenz zwischen Ost und West. Die Vergabe eines Auftrags an Edda und andere Frauen einer Fotogruppe, Berlin zu fotografieren, hatte Alibifunktion und ging an diese preislich niedrigsten Bieter, die aber keine Touristenwerbung produzieren, sondern An- und Einsichten von der grauen Alltagsrealität der geteilten Stadt. Die männlichen Meinungsmacher der Presse bieten keine Unterstützung, und statt wirklicher Hilfe suchen selbst ernannte Ratgeber (sexuelle) Vorteile, was Edda zum Erbrechen bringt.

Trotz ihrer Aufspaltung als Alleinerziehende mit Kind in die Rollenfächer Mutter, Frau und arbeitende Fotografin sucht Edda Integration und Vereinigung ihrer Persönlichkeit, aber auch eine mauernüberspringende Gesamtsicht der Stadt und der Existenz im geteilten Land. Ihre Bilder sind Vergleiche bzw. Zusammenschauen von »hüben und

39 Helke Sander als Edda Chiemnyjewski, gedankenversunken
40 Konfrontation zwischen der Schwarzen Brenda und Jasmin
(aus Bayern) in Percy Adlons »Out of Rosenheim«

drüben«, vor allem das aus der Aufsicht gesehene werbe-
flächengroße Foto von der Mauer, das in einem genialen
Bewegungsversuch als Abbild der Realität zur Mauer, dem
Ort des Bildes, hingetragen wird, um Wirklichkeit und
Abbild, Stadt und ihre Reflexion in der Kunst zu konfrontieren, aber auch zu synthetisieren. Es ist der Moment, wo
die jede Bewegung hindernde, selbst bewegungslose Realität der Mauer durch die Kunst in Bewegung gebracht wird,
das utopische Element der Kunst verdeutlichend. Hier gelingt es Sander im erstaunlichen Bilddiskurs, die Frauenperspektive als eine Aufbruch inszenierende filmisch zu
gestalten und das Schema, Frau als Opfer im Patriarchat
anzusehen, ebenfalls aufzubrechen (vgl. Abb. 59).

Jeanine Meerapfels *Malou* (1981) gibt weiblicher Selbstfindung geschichtliche Tiefe durch die Suche der Hauptfigur
Hannah nach dem Leben und der Vergangenheit ihrer
Mutter Malou, eine Mutter-Tochter-Beziehung, die mit
dem Film von Helma Sanders-Brahms, *Deutschland, blei-
che Mutter* (1980), vergleichbar ist, wo die Darstellung des
Lebens und Leidens von Frauen (auch eine Mutter und
Tochter) unter der Naziherrschaft als weibliche Passion
dargestellt wird. Meerapfel geht der Erinnerungsarbeit
nach, die zugleich eine Trauerarbeit ist. Denn Malou, eine
aus einer Artistenfamilie stammende »kleine Französin«,
gerät bei dem Versuch, aus armseligen Verhältnissen heraus in ein gesichertes Leben zu kommen, zwischen die
Mühlsteine der Geschichte. Ihre Ehe mit Paul Kahn, einem
betuchten badischen Juden, scheitert nach der Flucht über
Holland nach Argentinien an Kahns Abwanderung zu
›seinen Leuten‹, als er sich für Lotte, eine jüdische Emi-
grantin, die er aus Nazideutschland hat ausschleusen
können, entscheidet. Hannah geht schrittweise, vom
Grab Malous in der Nähe von Straßburg aus, diesem
Passionsweg ihrer Mutter nach, die als Trinkerin vorzeitig
ihr Leben verliert. Hannah, selber in einer prekären, konfliktreichen Ehe mit Martin, der für die Stadt Berlin ein
kulturelles Zentrum der Begegnung konzipiert hat, übt

sich nicht nur im Nachdenken an ihre Mutter, sondern begeht auch so manchen von Malous Fehlern, bis sie ihre Imitatio der Leidensgeschichte aufgibt und das Vergangene als abgeschlossen betrachtet, um zusammen mit Martin eine neue Zukunft aufzubauen. Im Schlussbild laufen die beiden, die sich auf dem Dach eines der großen Rundgebäude Berlins verabredet haben, im Kreis um den Ausstiegsaufbau herum, ohne sich zu finden. Dem Wunsch nach Gemeinsamkeit steht hier noch die Unfähigkeit entgegen, zueinander zu finden, die Differenzen von Kultur, Geschichte, persönlichem Temperament und Lebensentwürfen zu überwinden.

Ein Aspekt der Filmform, Meerapfels radikalisierte Schnitttechnik, die *jumpcuts* dem Konzept des Tangorhythmus folgend abrupt, erotisiert und explosiv-dynamisch einsetzt, und ihr Motiv des Ganges bringen feministische Revisionen traditioneller männlicher Domänen ins Spiel. Der Tango, bei dem die Frau enorm stark als Partnerin agiert, gibt dennoch dem Mann die Führungsrolle. Im Film ist es die nie wirklich erfolgreiche Anpassungskünstlerin Malou, die Hannah den Tango, den ihr eurozentrischer Mann dünkelhaft als »wild« verabscheut, tanzen lehrt, so wie sie ihrer Tochter nicht nur das Gehen beibringt, sondern ihr immer wieder einredet, nie ohne Geld zu sein und finanzielle Unabhängigkeit anzustreben. Hannah nimmt dabei auf, dass der eigene Gang Ausdruck von individueller Autonomie ist. Der Geist des Tangos mit seinen schnellen Schritten, abrupten Drehungen, Kehrtwendungen und artistischen Konfigurationen pulsiert durch diese filmisch komplexe Suche nach Selbstverständnis und Identität im Spiegel der Mutterbeziehung, Familiengeschichte und großen Geschichte im zwanzigsten Jahrhundert, der kulturellen Kontraste (Deutsch – Französisch; Europa – Südamerika) und der Minoritätenfrage (Juden und Deutsche; Deutsche und Türken, da Hannah Deutsch als Fremdsprache in Berlin unterrichtet).

Kulturelle Kontraste als Konfliktlage für dynamische

Synthesen und die Dialektik des Hybriden vermittelt auf gekonnt humorvolle Weise mit cleverer Regie Percy Adlon in seinem Film *Out of Rosenheim* (1987), der als »liebenswürdiges und liebenswertes Märchen von der unspektakulären Selbstverwirklichung einer Frau« charakterisiert worden ist (*Reclams elektronisches Filmlexikon*). In der Tat betont der Film die wunderbare Wandlung des Negativen, Kaputten, Dysfunktionalen und Aggressiven in Harmonie und Glücksgemeinschaft mit einer Story, die vom Zusammenprall des Unvereinbaren ausgeht und Konfliktlösung durch filmische Zauberei bewerkstelligt.

Bezeichnend ist Adlons Geschick, durch Mittel der Filmform (etwa Kamerawinkel, visuelle Tricks) signifikante Bedeutungen der Handlung und Aussage zu unterstreichen. Ein Streit zwischen Jasmin Münchgstettner und ihrem Mann, bei dem sie sich tätlich wehrt, führt zur gewaltsamen Trennung, weil der Grobian von Ehepartner sie in der Mohave-Wüste aussetzt, wo sie nach langem Marsch ein »Café« erreicht. Kleidung als Bedeutungszeichen zeigt Jasmin in ihrem Lodenkostüm nicht nur als fehl am Platz, sie repräsentiert Unangepasstheit. Ebenfalls aggressiv endet die Auseinandersetzung zwischen Brenda und ihrem Mann Sal, den Betreibern des »Bagdad«-Cafés und -Motels mit Tankstelle. Brenda, die eher in das schwarze Ghetto einer Großstadt an der Ostküste passen könnte, treibt ihren als Tunichtgut beschimpften arbeitsscheuen Mann in den Rückzug. Er beobachtet fortan aus der Distanz mit dem Fernglas sein ehemaliges Domizil. Der Film verfolgt dann als Fabel die Konflikte der beiden Frauen. Hautfarben kontrastieren, kulturelle Befindlichkeiten, Denkweisen, Gefühlswelten kollidieren. Aber es ergibt sich eine Dialektik von Entwicklung und Annäherung, die zu einer engen Freundschaft der beiden Protagonistinnen führt.

Das Aufeinanderprallen des Konträren als potentiell gewalttätig und tödlich signalisiert der Film, als Herr Münchgstettner auf der Suche nach seiner Frau blindlings vor das Café rast und dabei fast den zum Tanken aufwartenden Sal überfährt. Adlon filmt mit ›schräger Kamera‹ (*dutch tilt*), um das aus den Fugen Geratene der Situation, ihre Gefährlichkeit zu verdeutlichen. Im Kontrast zu dieser Blindheit (Münchgstettner wird alsdann aus dem Film verbannt) sieht Jasmin in der Glutsonne der Wüste schwitzend am Himmel eine Vision, die Adlon durch mehrfaches rosa Farbfilterblinken als wahrnehmbare und zugleich innere, quasi traumhafte visualisiert: Zwei zueinander geneigte Garben bündeln sich am Himmel. Jasmin begegnet dieser Vision später als Bild im Motelzimmer und dem Maler dieses Bildes, Rudi Cox. Er wird ihr Verehrer, malt sie in einer durch ihre mollige Opulenz exzessiv erscheinenden Entkleidungssequenz, bei der die kleingeistig-verklemmte Bajuwarin in eine Cupido-Gestalt verklärter, engelhafter Schönheit verwandelt wird. Zauberei ist ein Grundmotiv des Films, der nicht nur Zauberkunststückchen feiert, mit denen Jasmin Brendas Herz und das der ›Bagdad-Familie‹, der Fernfahrer (und der Zuschauer) gewinnt. Zauberei schafft hier so viel Harmonie in dieser Oase, dass die Thomas Manns *Tod in Venedig* lesende Tätowiererin, Debby the »devil« (die Teufelin), wegen zu viel Harmonie die Glücksgemeinschaft verlässt.

Als Sympathisant des Feministischen, der patriarchalische Männerrollen dekonstruiert und den Frauen das Movens zukunftsstiftender Aktivität (und Emotion) überträgt, lässt Adlon Jasmin auf Rudis Heiratsantrag hin sagen, sie müsse Brenda befragen. Denn zwischen den beiden Frauen hat sich eine Herzensfreundschaft ergeben, die dem alten Muster vom Mann als Erlöser und Retter entgegenläuft. Die multikulturellen Tendenzen des Films transzendieren alte Kulturschemas. Die Ambivalenz des Schlusses lässt ein Verhältnis zwischen den beiden Frauen ahnen, gar wahrscheinlich erscheinen. Adlon hat die Frage sexueller Beziehungen in seine Dekonstruktion nationaler, kultureller und sozialer Stereotypen hineingenommen und damit eine weitere feministische Position bestätigt.

Nach dem Ausbruch aus den einengenden Bedingtheiten weiblicher Existenz durch die fortschrittliche erste Feministinnengeneration sieht die Landschaft des von Frauen produzierten und transformierten Films heute in vieler Hinsicht nicht radikal anders aus. Regisseurinnen wie Jessica Hausner, Barbara Albert, Esther Gronenborn, Connie Walther, Sandra Nettelbeck und Vanessa Joop »gehen alle von der Sehnsucht nach Authentizität, nach Mitteilbarkeit und Emotionalität aus – auch wenn ihre ästhetischen Lösungen nicht vergleichbar sind«. Die Durchbrüche der Vergangenheit haben anscheinend nicht sehr viel neuen Spielraum geschaffen, obwohl Vielfalt leichter möglich zu sein scheint. »In ihren Filmen, zumal den Geschichten über Jugendliche, erzählen sie von den Auseinandersetzungen zwischen Mann und Frau mit deutlicher Sehnsucht nach Harmonie« (»Aufbruch aus der Frauenecke« www.deutsches-filminstitut.de/f_films.htm). Eine umfassende Bestandsaufnahme der neueren Filmlandschaft unter dem Gesichtspunkt der Geschlechterdifferenz steht allerdings noch aus (vgl. Knight; Töteberg 1999).

5.9. Die postkoloniale Filmanalyse

In Reaktion auf die Moderne entwickelte die Postmoderne eine Revision des Funktionalismus und der Ganzheitsstrukturen, die in der Moderne theoretisch begründet und in der Praxis als Totale angestrebt wurden. In der Architektur polemisierte die postmoderne Richtung gegen die Moderne und ihre funktionale Konformität im Internationalen Stil, gegen den sie das historisch Verschiedene, das Regionale und die Ästhetik der nicht nur funktionsgebundenen Form propagierte. Entgegen dem Diktum »Ornament ist Verbrechen« von Adolf Loos erhielten Fassaden wieder Ornamente als Bestandteil einer (spielerischen) Auflockerung des Einheitsstils durch Zitate. Zitieren bedeutet Verfügen über die Zeiten hinweg, bedeutet im postmodernen Film der achtziger Jahre: das Doppel-codieren von Bild und Erzählung im Film, eine eklektische Verbindung der Stilelemente von gehobenen Filmen und von Massenware, die Bricolage (Zusammenstückelung) disparater Genremuster und eine Vermittlung von Realität im Film im selbstbewussten, ironisch gemeinten Umgang mit vorgeprägten Zeichenwelten. Dargeboten wird diese Mischung dem wissenden Publikum zum Genuss spieleri-scher Bedeutungserschließung, denn man war eingeweiht in das Spiel mit den Versatzstücken bekannter Sinnan-gebote. Kultfilme wie *Diva* (Jean-Jacques Beinix, 1981) oder *Blade Runner* (Ridley Scott, 1982) bieten jene Mixtur aus Vertrautem, Hoch und Tief, Genrediffusion, Zitaten-collage, Künstlichkeiten und lustvoll-komplexen Erzähl-weisen, die im postmodernen Film vorwiegt (vgl. *Reclams elektronisches Filmlexikon*).

Der Postmoderne, die auf eine Multikultur abzielte, ver-gleichbar sind postkoloniale Diskurse, die auch in einen ›postkolonialen Blick‹ der Filmanalyse eingegangen sind. Die aus dem Überdenken des Kolonialerbes und der nach-kolonialen Gesellschaften im globalen Zusammenhang entstandenen postkolonialen Diskurse reflektieren kritisch Kultur und Nation (Bhabha), den abendländischen Orien-talismus (Said), das Subalternsein und Identität (Spivak) und, aus multikultureller Perspektive, die eurozentri-schen/westlichen Ideologien im dominanten Film (Sho-hat/Stam) (vgl. Peter Weibel / Slavoj Zizek, Hrsg.: *Inklu-sion: Exklusion. Probleme des Postkolonialismus und der globalen Migration*. Wien 1997; Bill Ashcroft, Hrsg.: *The Post-Colonial Studies Reader*. London 1995; Ella Shohat / Robert Stam: *Unthinking Eurocentrism, Multiculturalism and the Media*. London / New York 1994).

Out of Rosenheim, Adlons Filmkomödie, konfrontiert Menschen ganz verschiedener nationaler, ethnischer und kultureller Herkunft. Der Faktor Hautfarbe spielt dabei eine große Rolle. Als Sal auf der Wüstenstraße Jasmin Hilfe anbietet, reagiert sie mit sichtbarem Widerwillen auf das Angebot eines Schwarzen. Ihre mentalen, rassistischen Stereotypen werden von Adlon riskant ins Bild gesetzt, denn später, als Jasmin sich von Brendas eindringlichem Blick nicht nur angestarrt, sondern bedroht fühlt, hat sie eine Angstvision, wie sie in einem riesigen Kochtopf gekocht wird, während halbnackte Männer in afrikanischer Tracht bzw. Körperbemalung mit Speeren bewaffnet singend um sie herumtanzen. Dieses Menschenfresserklischee aktiviert die alte rassistische Tabuvorstellung vom Ausgeliefertsein einer weißen Frau an schwarze Wilde. Adlon spielt postmodern mit diesem Zitat aus dem Archiv der Rassenvorurteile. Jasmin nämlich schreit und gestikuliert nicht in größter Verzweiflung, sondern sie scheint bei diesem Tanzen und Singen mitzumachen, sich zu amüsieren. Adlon, in postkolonialer Manier, zitiert das negative Klischee, um es durch einen variierenden Aspekt zu ironisieren. Diese Dekonstruktion bereitet uns im Bild auf den Wandlungsprozess vor, den Jasmin zu vollenden das Potential in sich hat. Ihre Furcht vor den »Wilden« entpuppt sich als anerzogenes Vorurteil und negatives Stereotyp, von dem sie sich lösen kann, nachdem sie den Weg zur Eigenständigkeit und Selbstbestimmung beschritten hat. Brendas Blick provoziert Jasmin, der Wahrheit ins Auge zu sehen und sich von den sozial vermittelten Vorurteilen zu befreien. Umgekehrt geht es bei Brenda darum, ihre Aversion gegen Jasmin zu überwinden, sie als Mensch und später auch als Freundin zu akzeptieren. Adlon inszeniert den Zauber der Wahrheitsfindung durch die Gewinnung des eigenen Blicks. Seine postkoloniale Film-Komödie benutzt Übertreibung, Exzess, um emanzipatorisch zu wirken. Die Klischees werden durch ihre Zitierbarkeit als unauthentisch und verlogen entlarvt. Das Stereotyp wird auf die Spitze getrieben, seine Vernichtbarkeit wird offensichtlich, es erledigt sich von selbst.

Out of Rosenheim ist ein Film, in dem deutsch-amerikanische Kulturkontraste geschickt als Klischees eingesetzt werden, um durch Dekonstruktion Tiefenwirkung zu erzielen. Aber schon viel früher gab es im deutschen Film die Rassenproblematik bzw. rassistische Perspektiven. Nachdem das Deutsche Reich 1918 seine Kolonien verloren hatte, blieben als Überbleibsel Kolonialfantasien bestehen. Fritz Langs frühe Filme sind durchsetzt von solchen problematischen Vorstellungen. So weist sein Film *Halbblut* (1919) eine »deutlich rassistische Konnotation« (Sturm 2001, 92) auf. Es ist der gängige Exotismus, aber auch die Abqualifizierung einer Frau, die aus gemischtem, spanischem und aztekischem, Blut stammt. Die Mestizin Juanita, von Anfang an ein Sexualobjekt, ist Prostituierte, die ihre Dienste als ›Opiumdirne‹ in einer Opiumhöhle verkauft. Verschiedene Fantasien vereinen sich hier zu einem Lustrausch.

Lang setzte in *Metropolis* 200 Schwarze als Statisten ein. In einer wichtigen Szene, die auf Thea von Harbous Roman zurückgeht, tragen Neger, schwarze nubische Sklaven, wie der Text versichert, auf ihren Schultern die große Schale, auf der die andere Maria, die Gegenfigur zur keuschen Maria, ihren verführerischen Tanz darbietet. Aus post-

kolonialer Perspektive gesehen ist das Getragenwerden durch die knieenden Schwarzen nicht nur ein Zeichen deren dienender Funktion, sondern ihrer offensichtlichen Versklavung. Parallel zur faschistischen Rassenideologie indiziert das Bild die Minderwertigkeit kolonisierter Menschen. Der Film inszeniert Exotismus als Metapher für die Selbstvergewisserung europäisch-überlegenen Daseins.

41 Koloniale Fantasie: Nubische Sklaven dienen der großen Hure Babylon in »Metropolis«

Auch im *Blauen Engel* lassen sich aus postkolonialer Perspektive versteckte Aspekte isolieren. Rath wacht nach der mit Lola verbrachten Nacht halbwegs angekleidet in ihrem Bett auf, hält eine schwarze Puppe im Arm, die er in seiner Kurzsichtigkeit zunächst nicht erkennt. Eine Spieluhr ertönt mit einer Schubert-Melodie, als er einen Arm der Puppe bewegt, und als er sich lächelnd vergewissern will, was er da Schönes hat, und die Brille aufsetzt, reagiert er verwundert und wirft die Puppe von sich. Diese schwarze Puppe, übrigens eine von Marlene Dietrichs Lieblingspuppen, signalisiert vor allem das Inkongruente in der Beziehung zwischen Rath und Lola, die Unstimmigkeiten in seiner Persönlichkeit und seine Ignoranz gegenüber (rassisch) anderen (Beicken, 1998).

42 *Inkongruentes: Rath mit Lolas schwarzer Puppe im »Blauen Engel«*

Anspielungen auf koloniale Fantasien finden sich auch in Lolas Garderobe, wo an den Wänden verschiedene Plakate hängen, darunter solche von Völkerschauen, die Buschmänner und andere Schwarzafrikaner abbilden. Seit dem frühen neunzehnten Jahrhundert waren die Ureinwohner ferner Länder beliebtes europäisches Anschauungsmaterial in Zoos und in den Wanderausstellungen vor allem der Firma Hagenbeck, um der Sensations- und Schaulust zu dienen, aber auch der Überlegenheit der Europäer unter Beweis zu stellen.

Unter den Zuschauern im *Blauen Engel*, die Lolas Songs von der Liebe und vom Verführen lauthals goutieren, sitzen stumm auch einige schwarze Seeleute, die später bei Raths Wiederkehr, als das wesentlich vaterländischer aussehende Publikum sich an dem Hahnenschrei seines früheren Mitbürgers weiden will, aus der Menge verschwunden sind. Die spielerisch inszenierte Beziehung von Erotik und Exotik wird betont, wenn Raths Klasse gegen ihn Radau schlägt und die Visitation des Schuldirektors zur Folge hat, die zu Raths Rücktritt führt: An der Tafel finden sich Karikaturen, die Raths Verliebtsein in Lola persiflieren. Ein Glatzkopf mit Schnuller mokiert sich über Raths säuglingshafte Unwissenheit (»Einst«) im Gegensatz zur befrackten Erwachsenenfigur (»Jetzt«), die ein Frauenbein wie einen Fetisch über der Schulter trägt. Zudem trägt eine beflügelte, Herzenspfeile abschießende Cupido-Figur negroide Gesichtszüge, verdeutlicht auch durch das Kraushaar. In sexistischer Weise wird hier der traditionelle Topos von Afrika als dem dunklen, wilden Kontinent zitiert, der in *Männer* in der Gorilla-Verkleidung als Mittel der komischen Maskerade wieder auftaucht (vgl. Abb. 61).

Hautfarbe und Rassenvorurteil sind zentrale Themen in *Angst essen Seele auf*. Fassbinder bietet eine Triade von Ausgrenzung, die zudem Klasse und Alter mit einbegreift: Emmi wird zur Randfigur wegen ihres Alters und niedrigen sozialen Ranges als Putzfrau. Aber auch wegen ihrer Beziehung zu Ali, dem Marokkaner, wird sie diskriminiert, von ihren Arbeitskolleginnen, den Nachbarn, ihrer eigenen Familie, die sich in der Szene, wo Emmi Ali als ihren Mann vorstellt, angewidert von diesem »Saustall« zurückzieht. Ein Sohn lässt seine Empörung wütend an einem Fernseher aus, dessen Bildschirm er

43 *Maria Braun und ihr Liebhaber Bill, den sie nach der Heimkehr ihres Mannes tötet*

zertritt. Fassbinder zielt hier und auch in der *Ehe der Maria Braun* auf Gewalt im Umgang mit Minoritäten ab. Maria, die sich von Bill, einem schwarzamerikanischen GI aushalten ließ und ein Kind von ihm erwartet, tötet ihren Liebhaber, als ihr tot geglaubter Mann aus dem Krieg heimkehrt. Die Ausgrenzung eines Farbigen erkundet auch Doris Dörrie mit Zügen des Galgenhumors in *Keiner liebt mich* (1994), wo sich der schwarze Wahrsager in einer scheinbar toleranten Gesellschaft völlig isoliert und kränkelnd in einer Randexistenz befindet.

Postkoloniale Perspektive und Minoritätenthematik verbinden sich in diesen Beispielen. Das zeigt auch Wim Wenders gefeierter Film *Paris.Texas*, wo in einer Szene, als Travis seine Frau Jane in einem Vergnügungsetablissement sucht, sein kleiner Sohn Hunter draußen wartend Wandbemalungen sich anschaut. Sie zeigen den stilisierten Kopf einer Indianerfrau, das Motiv der Marginalisierung der Ureinwohner anschlagend, während unweit daneben das Bild der Freiheitsstatue mit negroiden Gesichtszügen die Fragwürdigkeit des ›amerikanischen Traums‹ für die Nachfahren afrikanischer Sklaven andeutet. Das Ganze wird zugespitzt durch die Beschriftung eines Türeingangs mit neonazistischen Slogans: »Race, Blood, Land«. Rassismus, Blut-und-Boden-Ideologie enthüllen die faschistoiden Untergründe in der Behandlung amerikanischer Minderheiten (Kolker/Beicken, 125 ff.). Minderheiten- und postkoloniale Thematik sind beziehungsreiche Komplexe und Konflikte im Film.

6. Filmgenres

Der Gattungsbegriff **Genre** bezeichnet Typen von Werken, die wichtige Haupteigenschaften teilen und ganz bestimmten filmischen und kulturellen Konventionen folgen. »Das können Konventionen in der Thematik sein, in den Motiven, den Symbolen, in den Handlungsschemata oder auch in Bedeutungen« (Faulstich 1988, 78).

Historisch gesehen entwickelte sich der narrative Film unter Verdrängung der früheren filmischen Formen des Spektakels, indem sich Konventionen von Form, Inhalt und Eigenart herausbildeten. Die Filmstudios begannen, bei ihren Produkten Genrespezifisches in der Vermarktung zu betonen, wie denn Kritik und Publikum Klassifikationen zur Orientierung akzeptierten und erwarteten (vgl. Cook, 137). Die Standardisierung typischer Züge im Visuellen, in Handlung, Figuren, Ausstattung, Erzählkonventionen, Musik und Starbesetzung erleichterte Vorhersagen möglicher Zuschauerreaktionen und damit Risikominderung bei den finanziellen Investitionen. Die Genredifferenzen dienen dazu, verschiedene Zielgruppen durch entsprechend fokussierte Werbekampagnen anzusprechen. Aber es ergab sich auch eine Dynamik der Variation, das Bekannte und Erwartete durch Abweichung zu beleben. Zudem betonte die *auteur*-Kritik der nachfünfziger Jahre das Autorenprinzip, selbst im genregebundenen Hollywood-Kino, wo das überwiegend Formelhafte der Genretraditionen verdeutlicht, auch wenn das Fließende in der filmischen Gestaltung die Genrekonformität mildern kann.

Je nach besonderen Gesichtspunkten und oftmals sich überschneidenden Zuordnungskriterien werden Filmgenres unterschieden wie: *Abenteuerfilm, Detektivfilm, »film noir« (Schwarze Serie), Horrorfilm, Katastrophenfilm, Kriegsfilm, Kulturfilm, Liebesfilm, Melodrama, Musical, Polizeifilm, Science-Fiction-Film, Vampirfilm, Western u.a.* Genrekategorien sind dabei Hilfsmittel, einen Film seinem Schema nach zu erfassen, d.h. ihn erfahrungsgemäß vorgegebenen, historisch herausgebildeten Strukturmustern zuzuordnen.

Ein relativ leichtes Beispiel der Genrebestimmung ist die des **Western**, weil dieses Filmmuster verschiedene deutlich erkennbare und kanonische Spezifika aufweist. Klassische

Merkmale sind die typische Landschaft, Geschichte, Gesellschaft und Konflikte aus dem amerikanischen Wilden Westen. Unverkennbar sind die Weite des Landes, die Abenteuer der Besiedlung, der Kampf zwischen Gesetzesvertretern und Gesetzlosen, zwischen Weißen und Indianern und die Typologie der Figuren: der einsame Cowboy, der Rancher, der Sheriff, der Doc, die Lehrerin, die Bardamen, Banditen, Falschspieler, Pferdediebe, Revolverhelden usw. Im Zentrum steht der starke Einzelne, der Held, oft unterstützt im Kampf gegen das Böse von anderen, Gleichgesinnten, von einer Frau, die ihrem Geliebten/Mann die Stange (Flinte) hält. Ziel des Western ist die Besiegung der Gewalt (durch defensive Gewaltanwendung) und die Wiederherstellung des Friedens, der Harmonie, des Glücks.

Der französische Theoretiker André Bazin sah im Western den amerikanischen Film par excellence. Als idealer Höhepunkt der mythologisierenden Auseinandersetzung mit Geschichte erschien ihm John Fords *Stagecoach* (*Höllenfahrt nach Santa Fé / Ringo*, 1939), ein Film, der sozialen Mythos, historische Aufarbeitung, psychologische Wahrheit und die traditionelle Mise-en-scène des Westerns völlig ausgewogen zur Geltung bringt (Cook, 148 f.). Vor allem war es die herrliche Weite von Monument Valley und John Waynes überragende Gestalt, die dem Film Statur gaben, während die simple Story durch den rasant gefilmten Überfall der Indianer auf die Postkutsche eine Wende ins Einmalige und Grandiose erhielt. Wichtig ist hier der für den Western typische Gegensatz von Stasis und Bewegung, von Ruhe und Unfrieden, von Sesshaftigkeit und Umherziehen. Die Passagiere der Kutsche, bunt zusammengewürfelte Figuren, spiegeln diese Dynamik sozialer Typen und Bewegungsformen (vgl. Hans Helmut Prinzler in: *Filmklassiker* 1, 380). Der Held Ringo Kid (Wayne) heiratet am Ende eine Frau (Dallas) mit zweifelhaftem Ruf, ein Spieler verliert das Leben, ein anderer wird wegen Betrugs verhaftet, und die übrigen Figuren kommen davon, mehr oder weniger ehrenwert.

High Noon (*Zwölf Uhr mittags*, 1952) ist ein Edelwestern strenger, dramatisch zugespitzter Komposition, der die archetypische Situation des siegreichen Kampfes eines Einzelnen gegen eine Übermacht feiert. Präsent ist dabei das unerbittliche, schicksalhafte Zeitmoment, die Ankunft eines Zuges mit einem Gangster, das durch die häufige Einblendung der großen Uhr Dräuendes, Bedrohliches verheißt. Gary Cooper als unerschütterlicher Marshal Will Kane stellt sich einer Vierergruppe von Banditen, darunter der gerade aus dem Gefängnis entlassene Anführer, der von seinen Kumpanen zum Showdown vom Bahnhof abgeholt wird.

Kane, der seinen Posten schon aufgegeben hatte und mit seiner Frau Amy, einer frommen Quäkerin, davonziehen wollte, will sich für die öffentliche Sache und seine Ehre zur Wehr setzen. Sein Ansuchen um Hilfe bei den Bewohnern von Hadleyville ist jedoch vergeblich, und sogar seine eben erst anvermählte Frau verlässt ihn, aus religiösen Gründen. Im Konflikt zwischen privatem Glück und Eintreten für Recht und Ordnung wählt Kane Gesamtwohl und Freiheit als höhere Werte. Das feige Ausweichen seiner Mitbürger ist oft als Kritik an mangelnder Zivilcourage zur Zeit der antikommunistischen Hetze in der McCarthy-Ära ausgelegt worden. In letzter Minute steht Amy, zu der die schwarzhaarige Mexikanerin Helen Ramirez als Kontrastfigur das Dunkle, Unintegrierte darstellt, ihrem Mann doch bei und erschießt entgegen ihren Glaubensgrundsätzen einen der Schurken.

Der heroische Individualismus des Helden im Western wird hier noch besonders dadurch unterstrichen, dass er völlig auf sich allein gestellt ist, dass ihn eine schwächliche, zaudernde, ängstliche Gesellschaft umgibt, in der er am Ende nicht aufgeht, sondern der er verächtlich den Rücken kehrt und ihr das Symbol von Rechtspflege und Verantwortung, den Marshal-Stern, vor die Füße wirft, um mit

44 Themen- und Bildentsprechungen in Staudtes »Die Mörder sind unter uns« und Zinnemanns »High Noon« (Zwölf Uhr mittags)

seiner Frau, der unnahbaren Schönen, sein Leben woanders weiterzuführen.

Dieser Western treibt seine Bildersprache hoch, etwa in dem stilisierten Bild, das Kane in einem Fenster hinter gezackten Glasscherben zeigt: »sein Weltvertrauen ist zerbrochen wie die Fensterscheibe, hinter der er nach seinen Gegnern Ausschau hält. Die Einstellung erinnert an entsprechende Bilder aus europäischen Filmen der Nachkriegszeit (*Die Mörder sind unter uns*, 1946): Die Scherben symbolisieren seinen inneren Zustand. Unerschrocken und desillusioniert, wie ein existentialistischer Held, stellt sich der Marshal der Grenzsituation, in der über Leben und Tod entschieden wird« (Knut Hickethier in: *Filmklassiker* 2, 149). Dagegen kann man halten, dass Kane nach anfänglicher Anfechtung wacker und entschlossen handelt, die Scherben also nicht sein Inneres symbolisieren, sondern eher den Zustand einer misslichen Welt, wo Kleinmut und Furcht die Menschen unfähig machen, ihr wahres Selbst zu finden, einen starken Gemeinschaftssinn zu entwickeln. Diese Welt erscheint als ein moralischer und menschlicher Scherbenhaufen (vgl. Drummond).

Der Liebesfilm stellt das Archetypische der Begegnung, *boy meets girl*, in den Mittelpunkt, wobei das **Melodrama**, vom Theater des neunzehnten Jahrhunderts übernommen, schon im Stummfilm das Kino zum Ort der Gefühle durch Steigerung des Theatralisch-Emotionellen machte. Als Filmgenre gestaltet das Melodrama das Zwischenmenschliche als Beziehungen im häuslichen Bereich, in der Familie, in der die Frauen eine wichtige Stellung einnehmen, auch wenn die Männer dominieren. Das Melodrama gibt der Frau einen eigenen Wirkungsbereich, der besonders von der Gefühlswelt bestimmt ist. Ihre Prominenz im Melodrama führt auch zu Blickwechseln. Es ist der weibliche Blick, der dem männlichen Konkurrenz macht im melodramatischen Film, aber auch im Publikum, wo Frauen dieses Genre als besonderes Identifikationsangebot erleben. Das Melodrama erregt Gefühle, Leidenschaften und vor allem Mitleid mit den Figuren, die von Schicksalsschlägen getroffen werden. Tragische Helden dagegen drängen aus Hochmut, Verblendung und Maßlosigkeit über ihre Grenzen hinaus, geraten mit übermächtigen Gewalten in Konflikt und gehen am Ende zugrunde. Dem Leidensweg im Melodrama fehlt dieses Übermaß, die Hybris. Gewöhnliche Charaktere, übliche Verhältnisse und nicht ungewöhnliche Konflikte und Schicksale sind hier eher die Norm.

Ein Beispiel der melodramatischen Liebe in einer Mitleidsstory ist *Der blaue Engel* (1930), ein Film, den Kracauer als »Musterbeispiel« der »Substanzlosigkeit« und zugleich als »Privattragödie« (1984, 418) charakterisiert hat. Die Geschichte eines verklemmten Gymnasialprofessors und einer koketten Kabarettsängerin konfrontiert den moralbedachten Bürgerlichen mit einem »Sexsymbol« (Kracauer 1984, 227), einem verlockenden Wesen, das außer Boheme auch ein neues weibliches Selbstbewusstsein (am Ende der Weimarer Republik) verkörpert. Für den kleinlichen Pauker und Schultyrannen aus Heinrich Manns sozialkritischer Satire auf das preußische Schulwesen im Wilhelminischen Kaiserreich bewirkt die Begegnung mit einer Repräsentantin der Halbwelt und des fahrenden Volkes einen totalen Umsturz seines Lebens, bis sich am Ende die Unvereinbarkeit der beiden Partner aufgrund ihrer unversöhnlichen Gegensätze erweist; es ist zugleich das Inkongruente ihrer sozialen Einbindungen. Während die Außenseiterin Lola durch ihr berechnendes Wesen und Selbstgefühl als Artistin und Frau die Überlegene bleibt, verfällt der Professor ihren Verführungskünsten, und sein Ausbruch aus der Bürgerwelt endet im Selbstverlust. Eingespannt war er gewesen in die strenge Ordnung der Schule mit ihrem rechtwinkligen Klassenzimmer als Ort von Maßregelung, Gehorsam und Disziplin im Kontrast zum freien Tingeltangelmilieu des »Blauen Engels«. Ebenfalls widersprüchlich und ungelöst bleiben Raths innere Konflikte zwischen Eros und rollenangepasstem Verhalten als Funktionsträger der autoritären Gesellschaft. Der Clown als sein Alter ego, das sich wie natürlich in dieser erotisierten Unterhaltungswelt des Kabaretts bewegt, symbolisiert das Manko Raths in Sachen Trieborganisation. Sein fremdbestimmter Charakter als pflichtbesessener Diener des Staates hat die Triebsphäre verdrängt. Als ihm das Verdrängte in Gestalt des Verlockenden begegnet, überwältigt es ihn. Der melancholische Clown scheint diesen tragischen Ausgang vorwegzunehmen: Er verschwindet, als Rath schwelgerisch sich Lolas sirenenhafter Liebesserenade »Von Kopf bis Fuß« hingibt, eine Hingabe, die zuletzt seine Ich-Schwäche deutlich macht. Am Ende, gedemütigt in seinen Unzulänglichkeiten und verzweifelt in seiner Verliererposition, flüchtet Rath aus dieser Erniedrigung zurück in die Schule, wo er an seinem Pult niedersinkt und stirbt. Die Unmöglichkeit der Vereinigung von Autoritärem und freiem Leben hat sich erwiesen.

Im »Blauen Engel« vereint sich auch das kabarettistische Showbusiness mit dem Häuslichen. Lola Lola gibt sich als Hausfrau, die ihren Liebhaber mit Frühstück und frischem

Kaffee verwöhnt und auf die Ehe anspielt. Geschmeichelt macht der eingebildete Junggeselle ihr den Antrag, wobei er die ungläubig und unbändig Lachende geradezu zwingt, ihn zu heiraten. Die melodramatische Häuslichkeitskomödie, die diese Verwechslungen, die Blindheit und Unzulänglichkeit der Figuren (vor allem Raths) und damit das Widersprüchliche dieser Beziehung dem Publikum vermittelt, nimmt einen tragischen Ausgang, als Lola Lola sich von ihrem hoffnungslos demoralisierten Partner abwendet. Damit realisiert ihre Figur früh, was in der feministischen Filmanalyse als die Bedrohung der männlichen Vorherrschaft durch die Frau gilt (vgl. Kuhn, 260). Raths prekäre Ich-Situation, seine Spaltung in einen Rollenträger und ein deformiertes Wesen, dem Ich-Stärke, sexuelles Selbstbewusstsein und eine integrierte Persönlichkeit abgehen, zeigt eher ein Manko an tragischer Verblendung und Defizite an Maßlosigkeit, die ihn vom tragischen Helden deutlich unterscheiden. Sein Leidensweg macht ihn zur melodramatischen Mitleidsfigur, deren Schicksal einer Selbstzerstörung kaum Schauder, allenfalls Bedauern auslöst.

Ein Melodrama anderer Art ist der zum Kultfilm avancierte Streifen *Casablanca* (1942) von Michael Curtiz. Hier wird das Passionsthema anders gefasst, erscheint als Liebesgeschichte, die anrührt, ergreift, nicht durch Scheitern und mitleiderregendes Verderben, sondern durch Zuwachs an Ich, Stärke, Persönlichkeit der involvierten Partner. *Casablanca* ist vor allem die Geschichte zwischen Ilsa, der Frau des Widerstandskämpfers und KZ-Flüchtlings Victor Laszlo, und Rick Blaine, einem amerikanischen Abenteurer, der vor und während des Zweiten Weltkrieges in dunkle Geschäfte verwickelt ist. Enttäuscht von der Liebe und fehlgeschlagenem politischem Engagement betreibt der hartgesottene Rick im marokkanischen Casablanca, einem Zufluchtsort für politische Flüchtlinge und Tummelplatz für zwielichtige und verwegene Glücksritter, ein Café, das Durchgang und Warteraum in einem

ist (*Reclams Filmführer*, 136). Hier treffen sich verzweifelt
nach Visen für die Ausreise Suchende und Geschäfte-
macher, die von den Emigrantenschicksalen profitieren.
Über allem wacht der politisch unzuverlässige Renault,
der Major Strasser als Vertreter Nazideutschlands in die
Hände spielt, aber zugleich seine französischen Interessen
zu wahren sucht und am Ende Rick aus der Patsche hilft.
Rick hat nämlich zwei der begehrten (Blanko-)Visen, die
von zwei deutschen Kurieren nach deren Ermordung in
den Besitz des Gewinnlers Ugarte übergegangen sind, in
Gewahrsam genommen, nachdem dieser Ugarte von den
Behörden verhaftet worden ist. Es sind diese Visen, die
Victor und Ilsa zur Flucht benötigen.

Das Melodrama erfährt seine Steigerung in der sich inten-
sivierenden Liebe zwischen Ilsa und Rick, unvergesslich
dargestellt von Ingrid Bergman und Humphrey Bogart.
Eine Rückblende gibt die Vorgeschichte preis. In Paris
sind sich die beiden begegnet. Ilsa, im Glauben, ihr Mann
sei im KZ umgekommen, geht eine Beziehung zu Rick ein,
erscheint aber nicht wie vereinbart am Bahnhof, als er
Paris verlässt, weil sie erfahren hat, dass ihr Mann noch
lebt. Uneingeweiht in diese Zusammenhänge führt Ricks

Enttäuschung zur Schutzreaktion im Zynismus: »Ich halte für niemanden den Kopf hin« (Kinder, 117). Die Wiederbegegnung mit Ilsa in Casablanca, zusammen mit ihrem Mann, stellt Rick auf eine harte Probe. Ilsa versucht sogar, mit gezogener Pistole Rick zur Herausgabe der Visen zu zwingen. Als deutlich wird, dass sie Rick immer noch liebt, ringt sich der ehemalige Liebhaber zu einem gerissenen Plan durch. Er zwingt den Präfekten, sie drei, Victor und Ilsa und Rick, zum Flughafen zu fahren. Major Strasser, den der opportunistische Renault noch alarmiert hatte, wird von Rick kurzerhand erschossen, um dem Paar die Flucht nach Lissabon zu ermöglichen. Er überredet die zögernde Ilsa zum Abflug mit ihrem Mann. Liebe als Verzicht. Das Geschehene verwandelt Renault, er schlägt sich auf Ricks Seite, rät ihm, Casablanca für eine kurze Weile zu verlassen, was Rick mit der beziehungsreichen Antwort quittiert: »Ich glaube, Louis, dies ist der Beginn einer wunderbaren Freundschaft.« Aus dem Zyniker Rick, der sich eingeigelt und unter harter Schale seine verletzlichen Gefühle verborgen hat, ist ein empfindender, sich in der opferbereiten Liebe bestätigender Mensch und Freund hervorgegangen. Indem er seiner Liebe zu Ilsa entsagte, hat Rick sein Ich geläutert, sich wiedergefunden. Ein untragischer Ausgang des Melodramas. Ein Höhepunkt melancholischer, weltoffener Einsicht und Emotion. Das Zarte und Innige der Liebe zwischen Ilsa und Rick wird deutlich nicht nur in ihrem Abschied am Flughafen, wo weichkurvende Hutkrempen den Moment der Nähe und unweigerlichen Trennung sanft überschatten. Ebenso unvergesslich ist der Moment in Ricks Bar, wo Ilsa zuerst Sam, dem Pianisten, wiederbegegnet, wo die vergangene große Emotion und tiefe Liebe wieder lebendig werden, als sie Sam bittet, das ihm von Rick verbotene Lied »As Time Goes By« zu spielen, als Rick hinzukommt und mit seiner vergangenen Liebe konfrontiert wird. Nach diesem Gefühlshöhepunkt für die Figuren und Zuschauer findet diese Liebe durch Entsagen ihre Bestätigung. Denn eine

Seelenverwandtschaft bleibt bestehen, die im Abschied voneinander ihre Erfüllung findet und das Melodramatische auf den Gipfel treibt. *Casablanca* riskiert inmitten der Zeitwirren die Größe der Emotionen, die großen Gesten der Hingabe durch Aufopferung, Hingabe und Verzicht.

Intensität, aber auch Unerfüllbarkeit der Liebe ist meist das Sujet von Liebesfilmen, die oft tragisch enden. Etwa François Truffauts *Jules et Jim* (*Jules und Jim*, 1962), eine Dreiecksgeschichte, die über die deutsch-französische Grenze und das Kriegsgeschehen des Ersten Weltkriegs hinweg die Beziehung einer Frau (Jeanne Moreau als Cathérine) zu zwei Männern (Herni Serre als der Franzose Jim und Oskar Werner als der Deutsche Jules) darstellt. Dieses Spiel der Liebe, der unbekümmerten Lebenslust und der wechselnden Beziehungen wird überschattet vom Schicksal, das Cathérine und Jim durch einen tödlichen Unfall aus dem Kreis der Glücklichen herausreißt. Selbst wo das Liebesglück (fast plakativ) thematisiert wird wie in Agnès Vardas *Le Bonheur* (*Le Bonheur – Glück aus dem Blickwinkel des Mannes*, 1965), erweist sich die Vorstellung von der doppelten Liebeserfüllung durch eine zusätzliche, außereheliche Beziehung (und Selbstaufgabe der verständnisvollen Ehepartnerin) als Wunschtraum, der Leben und Welt männlichen Fantasien unterwirft. Hauptfeld männlicher Selbstbestätigung ist freilich das Abenteuer.

Zum **Abenteuerfilm** gehören die Heldenfigur und die Aufregung des Unbekannten und Unerwarteten fern der gewohnten Wirklichkeit. Werner Herzog bietet in *Aguirre, der Zorn Gottes* (1972) beides in historischem Gewand. Doch ist sein Film über eine spanische Expedition auf der Suche nach dem legendären Goldland El Dorado eine Kritik am europäischen Eroberungsdrang und Kolonialismus. Schon an der dschungelfremden Kleidung, an den bald verrostenden Rüstungen des Soldatencorps wird die Zivilisationskritik visuell greifbar. Diese fremdartigen Eindringlinge sind in der Wildnis völlig fehl am Platze.

Der Fluss beherrscht den Rhythmus, den Wandel von reißender Zeit bis zum Auslaufen der Handlung in tödlicher Stasis. Die außerweltliche, dämonisch überhöhte Figur des meuternden Rebellen und Abenteurers Aguirre verdeutlicht, in die Historie verlegt, die faschistische Machtübernahme. Auch sein krankhaft inzestuöser Wunsch, mit seiner Tochter eine Dynastie neuer Macht zu begründen, zeigt seinen Größenwahn, der wie der Tod seiner Gefährten und Untergebenen durch die Indianer und den Urwald in Vergeblichkeit aufgeht.

Der Abstieg der Expedition aus den genesishaften wolkenverhangenen Bergketten der Anden in das Quellgebiet des Amazonas beschreibt die geschichtliche Kurve in das imperialistische Zeitalter, das vom Besitztrieb besessen ist. Gewalttätige Meuterei führt zum Führungswechsel. Aguirre lässt ein Puppenregime für sich arbeiten. Dass solch brutale Macht gegen alle Formen des Zivilisierten verstößt, macht die Gegenüberstellung von Aguirre mit Doña Inez deutlich. Sie ist Ursúas Geliebte und eine stolze Vertreterin des spanischen Hofes. Als einzige Frau außer Aguirres Tochter Flores in dem Expeditionstrupp bietet sie Aguirre Paroli, sie durchschaut seine Machtergreifung, das von ihm installierte und kontrollierte Puppenregime des Kaisers Guzman. Mehrfach findet sie Gelegenheit, diesem untreuen, größenwahnsinnigen Soldaten die Stirn zu bieten. Auf dem Floß, vom korrumpierten Priester und Erzähler im Stich gelassen, sagt sie Aguirre mutig und unverblümt ins Gesicht, was sie von seiner perfiden Herrschaft hält. Zornig und mit Grandezza zugleich hält sie ihn am Arm fest, worauf er sich abwendet, unfähig, seinen Unmut an ihr auszulassen. Doña Inez sondert sich dann, als die Expedition brandschatzend und mordend gegen die Eingeborenen vorgeht, von dieser verwilderten Soldateska ab. Nach der Ermordung Ursúas geht sie in einem goldenen Kleid zu den Klängen eines hochzeitsähnlichen Triumphmarsches in den Dschungel hinein, von allen stumm mit den Augen verfolgt. Anmut

46 Doña Inez konfrontiert Aguirre
47 »Easy Rider«: Billy und Wyatt als die wilden jungen Männer

und Würde geben diesem Exodus aus der in Barbarei versunkenen Zivilisation sein unvergleichliches Pathos. Zugleich ist der Film auch ein Beitrag Herzogs zur Stärke der Frauen im Konflikt der Geschlechter.

Eine Variante des Abenteuerfilms ist der Fahrfilm, ein beliebtes Genre des Freiheitsbedürfnisses und der Selbstbestätigung von Männern. Zentral ist der Austritt aus dem Routineleben und den gesellschaftlichen Pflichten von Familie, Beruf und Mitwelt. Der Drang aus der tristen Normalexistenz hin zum Abenteuer und zur grenzenlosen Weite erscheint in dem amerikanischen **Road Movie** *Easy Rider* (1969) durch das Verkehrsmittel Motorrad visuell symbolisiert und intensiviert. Zwei Freunde, der »Captain America« genannte Wyatt (Peter Fonda) und sein nervösnaiver Kumpel Billy (Dennis Hopper), man könnte hinzufügen »the Kid«, machen sich entgegen der üblichen Westwärtsbewegung (»Go West«) von Los Angeles ostwärts nach New Orleans auf, zum dortigen Karneval (»Mardi Gras«) mit genug Kohle aus einem Drogendeal.

Dem Muster entsprechend reihen sich die Episoden aneinander: das erhabene Monument Valley und Painted Desert, eine Farm in Arizona mit einem Weißen und seiner mexikanischen Frau, eine utopistische Hippie-Kommune

143

bei den Pueblos von Taos, wo es Wyatt und Billy ebenfalls nicht hält. Dann holt sie die Realität des Südens ein: Übereifrige Polizisten nehmen sie fest, in den Kleinstädten mokieren sich die Südstaatler über ihr alternatives Aussehen, besonders die langen Haare. Als Dritten im Bunde nehmen sie George Hanson (Jack Nicholson) mit, einen Rechtsanwalt und Trinker, der gern die Gelegenheit zum Aussteigen aus der kleinstädtischen Langeweile nutzt, aber von Moralwächtern zu Tode geprügelt wird.

In Louisiana schließlich, nach dem Bordellbesuch in New Orleans und dem psychedelischen Acidtrip auf einem Friedhof, werden Billy und Wyatt von zwei hinterwäldlerischen Rednecks im Pick-up vom Motorrad geschossen, während die Kamera hochzieht und aus der Vogelperspektive Abschied nimmt von den ermordeten Helden der Straße. Der amerikanische Traum ›on the road‹ endet als alptraumhafte Tragödie, im Nachspann von Roger McGuinns *Ballad of Easy Rider* untermalt: »All he wanted was to be free, and that's the way it turned out to be …« (»Er wollte doch nur frei sein, und so ist es gekommen«).

Der Mythos Freiheit aus den alten Pionierzeiten hat sich 1968 als trügerische Illusion erwiesen. Die vom Vietnamkrieg gezeichnete Gesellschaft spielt den eskapistischen Außenseitern übel mit. Als ›Captain America‹ zu Beginn der Reise seine Armbanduhr in den Straßenstaub wirft, signalisiert er großtuerisch Aufbruch und ›Zeitlosigkeit‹, aber am Ende seiner vergeblichen Suche nach dem authentischen Amerika erwartet ihn zum Schluss ein glanzlos ordinäres Schicksal. Vor allem die als Dauerbegleitung präsenten Musiknummern der Songs von »Steppenwolf«, Jimi Hendrix u. a. geben stimmungsvoll Kunde vom Zeitgeist und der Sehnsucht dieser Jugendkultur. »Wegweisend wurden das ›flash editing‹, die abgehackten Staccato-Schnitte, die wie Jalousien blitzen und die Szenen miteinander verbanden« (Jürgen Felix in: *Filmklassiker* 3, 183). Im psychedelisch bestimmten Formalen manifestieren sich

Lebensgefühl und Rhythmus einer ausgeflippten Generation, die in künstlichen Paradiesen Zuflucht suchte.

In Wim Wenders' *Im Lauf der Zeit* (1976) ist das Genre »Road Movie« erweitert zur Grenzerfahrung im Zeitpolitischen, Filmischen und Zwischenmenschlichen. Es sind unsichere Helden, die aufeinander treffen und eine Strecke zusammenbleiben: Bruno, der fahrende Kinoreparaturmonteur, und Robert, der Linguist, der in tiefer Existenzkrise steckt, von seiner Frau getrennt und geplagt von der Übermacht seines Vaters in der Kindheit. Am Zonenrandgebiet des geteilten Deutschlands entlang fahren die beiden, unstet, unbehaust, mit unbewältigten Vergangenheiten wie ihr Land.

Die persönlichen Probleme bleiben ungelöst, und das Kinosterben auf dem Lande nimmt den allgemeinen Verfall der Kinokultur vorweg, denn das Kino als die Kunst des Sehens wird verdrängt vom industrialisierten Blick und von der Lust an den billigen Genüssen des Kommerzes: »Violence, Action, Sex«. Es sind die Formeln des Profitkinos. In dieser Trostlosigkeit geschichtlicher Malaise im Privaten und Gesellschaftlichen formuliert Wenders die Geschichte einer Trauerarbeit, die Züge der Erlösung hat. Bruno und Robert treffen in einem verlassenen Steinbruch auf einen Mann, dessen Frau Selbstmord begangen hat. Sie hat das »Road Movie« als Alternative zum unlebbaren Leben mit tödlichen Folgen ernst genommen und durch die Fahrt gegen einen Baum ihr Leben beendet. Angesichts dieses weiblichen Verzweiflungstodes beginnt ihr Mann, in seiner Trauer nachzudenken und den Verlust seiner Frau als Moment der Umorientierung zu reflektieren. Wenders verinnerlicht die Thematik des Road Movie, indem er die innere Suche nach einem Weg bzw. Ausweg thematisiert (vgl. Kolker/Beicken).

Als Road-Movie-Gegenstück zu einer männlich bestimmten Freiheitsfantasie gilt *Thelma & Louise* (1990), ein feministisches Road Movie, das die Genrekonventionen gründlich überholt. Zwei Frauen, die im Titel wie

Partner einer Firma vorgestellt werden, entfliehen ihren langweiligen Ehemännern und beruflichen Routinen. Eine geplante Urlaubsreise zum Angeln wendet sich abrupt in eine Flucht der beiden, als sich ein harmloser Barbesuch in eine unheilvolle Konfrontation mit einem losen Typen (Harlan) entwickelt, der Thelma zu vergewaltigen sucht. Louise, die selber, tief verdrängt, sexuelle Gewalt erfahren hat, wird von der reuelosen Arroganz des selbstgewissen Lüstlings so in Rage gebracht, dass sie ihn erschießt, mehr ein Racheakt als Notwehr. Von da an sind die beiden Frauen Flüchtige, unterwegs als Outlaws, die weitere Demütigungen vom rüden Männervolk erleben. Schließlich, von der Polizei umzingelt, fahren sie ihr offenes Cabriolet über die Kante eines Canyons in die tödliche Freiheit hinein.

Der Film ist nicht nur eine radikale Umwertung des männlichen Genres, sondern auch eine (kontroverse) Emanzipationserklärung weiblichen Subjektseins. Getroffen wird die schlechte, weil patriarchalische Normalexistenz, die Frauen zum Freiwild männlichen Begehrens macht. Das Leben der Unterschichten, der Deklassierten, der gewöhnlichen Menschen in finanzieller Abhängigkeit und im typisch ärmlichen Milieu wird durch den Ausbruch der Frauen in Frage gestellt. Der Freitod hat eine poetische Qualität, einen Dringlichkeitsappell, sich mit dem Schicksal dieser ausgebeuteten Frauen, deren Drang nach wirklichem Leben unstillbar ist, zu identifizieren. Wie sich die schlaksige Mädchenschönheit von Thelma (Geena Davis) und die fraulich verwundbare Eigenart von Louise (Susan Sarandon) miteinander verbinden, gibt weiblicher Solidarität eine besondere Qualität.

Gewalt ist auch ein Zentralanliegen des **Detektivfilms**, wo ein Verbrechen, seine Aufdeckung und Sühne im Mittelpunkt stehen. Fritz Langs Kindermörderfilm *M – Eine Stadt sucht einen Mörder* (1931), der ursprünglich den Titel »Mörder unter uns« tragen sollte, was Protest bei den Nationalsozialisten auslöste, ist ein Beispiel für den älteren

Detektivfilm. Aber zwei Tendenzen kollidieren: das eine
ist die doppelte Verbrechersuche, durch die recht inkom-
petente Polizei und durch die spiegelbildlich eingesetzte
Unterwelt, der es gelingt, den Übeltäter zu fangen; das
andere die Studie eines psychopathischen Triebtäters, der
seine Existenzängste zu bewältigen sucht und unter dem
Zwang von inneren Stimmen kleine Mädchen umbringt.
Das Verbrechen bringt die Stadt in Aufruhr, jeder verdächtigt jeden der Untat. In der allgemeinen Hysterie ist
auch die Polizei trotz ihrer traditionellen und technisch-
modernen Methoden der Verbrecherbekämpfung nicht in
der Lage, den Täter zu fangen. Die Parallelität von Be-
hörde und Verbrechersyndikat deutet eine zutiefst kor-
rumpierte Gesellschaft an. Becker selbst, der wie Büchners
Woyzeck ein getriebener Täter ist, bekennt vor dem Sche-
mengericht der Ganoven, unter einem inneren Zwang zu
stehen. Lang erteilt eine Warnung an die Mütter, besser auf
ihre Kinder aufzupassen, geschichtlich gesehen eine herab-
lassende Haltung, während doch die zur Krankheit trei-

48 Der Kindermörder (Peter Lorre) erschrickt vor seinem Doppel
49 Das Opfer im Schatten seines Mörders

benden Zwänge der ignoranten Gesellschaft die größere Verantwortung haben.

M ist kein gewöhnlicher Detektivfilm, obwohl in Lohmann eine Detektivfigur gegeben ist, die signifikante Aspekte des Detektivfilms verkörpert, vor allem die Akribie der Suche nach dem Täter. Im Fall Beckers handelt es sich um ein psychisch gestörtes Wesen, dessen Unzurechnungsfähigkeit aufgrund seiner Psychopathologie im Film selber thematisiert wird, als der von der Unterwelt Gejagte und Gefangene vor seinen gesetzanmaßenden Richtern seine inneren Zwänge und Angstzustände auf bestürzende Weise zur Sprache bringt.

Der Detektivfilm ist Teil des Kriminalfilmgenres, oft bestimmt von einer überragenden Autoren-Persönlichkeit wie Raymond Chandler, Agatha Christie, Dashiell Hammett, Patricia Highsmith, Georges Simenon und Edgar Wallace oder Figuren wie Sherlock Holmes, Phil Marlowe, Kommissar Maigret, Hercule Poirot, zu denen sich James Bond als detektivischer Held von Actionfilmen und Thrillern gesellt. Beispiellos mit Kultstatus spielt Humphrey Bogart in *The Maltese Falcon (Der Malteserfalke,* 1941) (vgl. Abb. 27) den gerissenen Privatdetektiv Sam Spade, der sich menschlich und beruflich kompromittiert, wenn es um Vorteile geht. Darin spiegelt sich ein anderer Aspekt des Kriminalfilms: das Milieu fragwürdiger Existenz am Rande der Gesellschaft und der Einfluss der verbrecherischen Unterwelt, wie denn im Gangster- und Polizeifilm die Macht des Bösen und Gesetzlosen eine stete Bedrohung gesellschaftlicher Ordnung darstellt, was ein anderer Bogart-Hit, *The Big Sleep (Tote schlafen fest,* 1946), exemplifiziert. Unübersehbar ist in diesem Klassiker der Leinwandstars die Mischung verschiedenster Genreelemente, denn die Auflösung des Verbrechens wird kontrapunktiert von der Liebesgeschichte zwischen dem »gebrochenen Helden der ›schwarzen Serie‹« (*Filmklassiker* 1, 521), der bei aller Anfechtung seinen Grundsätzen treu bleibt, und seiner attraktiven, selbstbewussten, aber auch zwielichtigen Kontrahentin Vivien (Lauren Bacall), die schließlich Partnerin des »good bad guy« wird. Eine Filmbeziehung, die wirkliche Hollywood-Romanze wurde, als Bogart und Bacall sich trauen ließen.

Die Vermischung von Einzelzügen ist allen Genres eigen. *Metropolis* ist das Beispiel eines frühen Zukunftsfilms, der archaisch-religiöse Thematik und Symbolik mit futuristischen Visionen der technisierten Welt verbindet und eine verklärende Liebesgeschichte als zentrales Erzählvehikel benutzt. Hollywoods Science-Fiction-Filme sind noch fantastischere Technikwunder, die fiktive Weltraumbereiche glanzvoll inszenieren mit deutlichen Anleihen bei den Märchen-, Abenteuer-, Fantasie- und Horrorgenres. Stanley Kubricks *2001: A Space Odyssey (2001: Odyssee im Weltraum,* 1968) ist solch ein Glanzstück, das in bahnbrechender Weise von den Anfängen der Menschheit bis zur technologisch brisanten utopischen Zukunft eine Evolutionskurve nachzeichnet, die atemberaubende Visionen mit neuen Wahrnehmungshorizonten zu schaffen versucht.

Action ganz anderer Art bieten die Kriegsfilme, von denen viele den Krieg als individuelle Bewährungsprobe und nationales Heldentum verherrlichen. Dennoch stellen immer wieder sehr realistische Abschilderungen des grausamen Kriegsalltags diesen Glorienschein in Frage oder nehmen eine deutliche Antikriegshaltung ein, etwa der erfolgreiche Streifen von Lewis Milestone *All quiet on the western front (Im Westen nichts Neues,* 1930) nach dem berühmten Roman (1929) von Erich Maria Remarque, einer sowohl erzählerisch als auch filmisch schonungslosen Abrechnung mit den Gräueln des Ersten Weltkriegs. Komplexer und problematischer sucht Francis Ford Coppolas *Apocalypse Now* (1979) das Debakel des Vietnamkrieges zu durchleuchten.

Beeindruckend ist auch das Durchsetzungsvermögen von Filmen, die eigene Genres begründen. Dazu zählen die Werke, die sich wie die berühmte Fernsehserie *Holocaust*

(1979) mit dem Thema der Judenvernichtung (und rassistischer Gewalt) auseinander setzen. Alain Resnais' Dokumentarfilm *Nuit et brouillard (Nacht und Nebel*, 1956), Frank Beyers Spielfilm *Jakob der Lügner* (1974) und Claude Lanzmanns Interviewfilm *Shoah* (1985) sind Beispiele der filmischen Holocaustthematik, die von Steven Spielberg mit seinem Opus *Schindler's List (Schindlers Liste*, 1993) spektakulär und kontrovers zugespitzt wurde. Seine Methode, bewährte Erzählformen Hollywoods auf die Darstellung des unbeschreibbaren Tötens anzuwenden, riskierte einen »Kitsch des Grauens« (*Filmklassiker* 4, 398). In diesen Strategien sahen viele Kritiker eine Trivialisierung des Ungeheuerlichen, während andere Spielbergs Verwandlung schockierender geschichtlicher Realität in nahe gehende Kino-Fiktion anerkennend betonten. Spielberg wie allgemein der amerikanische Film im ausgeprägten Hollywood-Kommerz baut auf das Kino der Gefühle, auf die emotionale Appellstruktur des Visuellen und der Filmerzählung.

Nacherlebbares in Bildstorys zu verwandeln, die Augen zu öffnen mit Kinomythen, ist ein Grundelement des Films, ob in der filmischen Aneignung des Holocaust durch einen versierten Filmemacher wie Spielberg oder in der Hommage an ein großes Künstlerschicksal wie Miloš Formans *Amadeus* (1984), der Mozarts glanzvolle und tragische Lebensgeschichte aus der Perspektive seines größten Rivalen Antonio Salieri in einem funkelnden, aber auch schattenreichen Leinwandspektakel zelebriert. Ein im Mittelmaß steckender Neider und Bewunderer gibt in diesem Musikfilm, der Historisches in raffinierte, authentisch erscheinende Fiktion transformiert, die Kontrastfigur zum »göttlichen Genie« ab.

Wo andere Filmporträts großer Künstler zu oft versagen, weil ihre Darstellungsversuche des Genies einfallslos und unüberzeugend bleiben, gelingt es Forman, Mozarts künstlerisches Ingenium transparent zu machen, auch gegen das historisch Verbürgte. Er erfindet die Situation,

wo der vom Tode gezeichnete Komponist auf dem Ster-
bebett im Fieberwahn nichtsahnend seinem ihm assistie-
renden Erzfeind die letzten Passagen seines Requiems zur
Notation diktiert. Der schaffende Künstler bei der Arbeit.
Aber dieses klischeeverdächtige Ereignis ist grundiert
von einer tiefen Tragik, der Sterblichkeit des genialen
Künstlers, der Unsterblichkeit seiner grandiosen Einfälle
und dem nahezu sprachlosen Staunen des Rivalen, der wie
kaum ein anderer die Größe der ihm zudiktierten Komposition nachzuvollziehen in der Lage ist. Mit Salieri nehmen auch die Zuschauer teil an dem einzigartigen Geschehen, das vom Sterben beendet wird, aber nicht unge-
schehen gemacht werden kann. Die Kunst überlebt ihren
Schöpfer. Größe transzendiert das Zeitliche. Das filmisch
eingefangen zu haben, ist Formans beeindruckende Leistung. Was unter Beweis stellt, dass Genres existieren, um
immer wieder durch Innovationen erneuert und erweitert
zu werden.

7. Filminterpretation: Einzelbeispiele

An einer repräsentativen Auswahl sollen beispielhaft verschiedene filmanalytische Aspekte wie z. B. Raumdarstellung, Figurenbehandlung, Mise-en-scène, Erzählaspekt,
Bildsymbolik, Darstellungsstrategie, Blickführung u. a. be-
handelt werden, wobei keine umfassende Interpretation
angestrebt wird. Vielmehr geht es um die Analyse von
Elementen innerhalb des Kontextes des jeweiligen Films,
die besondere Funktionen ausüben, wobei ausgewählte
Literaturangaben zum weiterführenden Studium anregen
sollen.

Der Student von Prag (1913)

Stellan Ryes gelungene Verfilmung mit dem Reinhardt-Schauspieler Paul Wegener in der Hauptrolle war richtungsweisend für den deutschen Film. Im Rückgriff auf die schwarze Romantik wurde das Doppelgängermotiv wirkungsvoll für die Darstellung des Unheimlichen und Unwirklichen eingesetzt. Dass der arme Student Balduin sein Spiegelbild an den undurchschaubaren Scapinelli verkauft, variiert einerseits die wundersame Geschichte Peter Schlemihls und seines verlorenen Schattens von Adelbert von Chamisso, andererseits wird auf Fausts Spaltung in »zwei Seelen« angespielt. Der eigene Wege gehende Doppelgänger durchkreuzt Balduins Liebe zu einer Gräfin. Als Balduin daraufhin auf sein Spiegelbild schießt, trifft und tötet er sich selbst, eine eindrucksvolle filmdramatische Szene der tragischen Selbstbegegnung.

Der Film überzeugt vor allem durch das künstlerische Geschick, »Unmögliches« im Film »fotografische Wirklichkeit« (Noa in: *Filmklassiker* 1,20) werden zu lassen: »Zu nennen sind die in die Spielhandlung eingebauten Filmtricks der Doppelgängeraufnahme und des Stoptricks, die Beweglichkeit der schwenkenden Kamera, die Inszenierung der Massenszenen in die Tiefe, die präexpressionistische Dekoration von Balduins Studentenbude, die klug genutzten Originalschauplätze, die Beleuchtungseffekte und die eingeschnittenen Dialogtitel« (ebd.). Der Doppelgänger, psychologisch das Alter ego, tritt im Film auch als Spiegelbild auf und verstärkt die Spiegelmetapher, die im Gefolge zum filmischen Topos wird.

Diese angsterregende Begegnung mit dem Doppelgänger, gefilmt auf dem Belvedere-Palast im Chotek-Park in Prag mit der Technik der Doppelbelichtung, entsetzte das Premierenpublikum in Berlin im August 1913. Die Zuschauer schrien im Parkett auf und wandten sich von der Leinwand ab, da sie dort zweimal leibhaftig dieselbe Gestalt sahen.

50 Bei Balduins Erschrecken vor seinem Doppelgänger erlitt das Premierenpublikum einen Schock
51 Im Blickdreieck: Caligari, sein Medium Cesare und Jane

Lit.: Diederichs (Hrsg.) 1985; Drexler, Peter: »Geheimnisvolle Welten: Der Student von Prag (1913)«, in: *Fischer Filmgeschichte* 1, 219–232 (mit Sequenzprotokoll); *Filmklassiker* 1,19–22; Giesen 1990; Kracauer 1984.

Das Cabinet des Dr. Caligari (1919/20)

Dieses erste und wohl berühmteste Beispiel des deutschen expressionistischen Films ist konfliktgeladen, widersprüchlich in der Handlung und bizarr in der Ausstattung. Konsequent disharmonisch sind die gemalten Atelier-Kulissen, die eine befremdliche Welt als verrückte darstellen: »Schräge Linien, schiefe Wände, geneigte Ebenen, verzerrte Perspektiven und auf dem Dekor gemalte Schatten sind die auffälligsten Merkmale« (Daniela Sannwald in: *Filmklassiker* 1,48) dieses alptraumhaften Horrorfilms, der die Figur Caligaris nach dem Doppelgängermotiv konzipiert. Caligari ist sowohl Direktor einer Irrenanstalt, der seinen dementen Patienten wohlwollend zugetan ist, als auch ein unheimlich wirkender Schausteller, der Cesare, einen im schwarzen Trikot wie ein übergroßes Kind aussehenden Schlafwandler, zum Sklaven seiner Mordlust macht.

Faustisch gespalten in den Wissbegierigen und den Tatmenschen, macht Caligari sein Medium zum Töter, davon besessen, die Seele eines Menschen nicht nur zu erforschen und zu verstehen, sondern auch zu beherrschen. Die Lust an autoritärer Herrschaft und willkürlichem Töten wird als undurchsichtiges Spektakel inszeniert. Zentral sind Dreiecksbeziehungen, das Liebes-Dreieck zwischen den Freunden Alan und Franzis und der von beiden verehrten Jane, nach außen hin bestimmt von Freundschaft, während das Macht-Dreieck zwischen dem Direktor als dem vernünftigen Therapeuten, Caligari als dem machtbessenen Beherrscher Cesares und den weitgehend arroganten, aber inkompetenten Behörden ein Gegenstück zur sozialen Konzilianz und nicht-rivalisierenden Interaktion abgibt.

Der Zusammenhang von Herrschsucht, verdrängtem Trieb und Mordlust wird besonders deutlich in der Dreiecksbegegnung zwischen Caligari, Cesare und Jane. Die gehorsame Tochter, die normalerweise zu Hause in ihrem von schwungvollem Runddekor angenehm gestalteten Zimmer Erbauliches liest (vgl. Abb. 37), hat sich aus Sorge um ihren Vater, Dr. Olfen, auf die Suche nach ihm begeben. Entgegen ihrer Typisierung als Figur der Keuschheit und des Anstandes folgt sie auf dem menschenleeren Jahrmarkt dem lüstern lockenden Caligari in seine düstere Schaubude, wo er diese ›weibliche Unschuld‹ mit dem erwachenden Cesare konfrontiert. Als sich dessen vielsagender Blick in den ihren senkt, flieht sie entsetzt davon.

Caligari agiert in dieser Szene als Exhibitionist, der sich durch sein stellvertretendes jüngeres Alter ego dem weiblichen Ich aufzuzwingen versucht. Anschließend wird Cesare ausgeschickt, Jane zu töten, aber der vom (Liebes-) Blick Getroffene lässt das schon erhobene Messer fallen und entführt Jane über die Dächer, lässt sie erschöpft auf einer der gezackten Atelier-Straßen fallen und stirbt vor den Baumruinen dieser Studio-Natur. Er hat den Bann seines Beherrschers gebrochen und sich zum eigenen Triebverlangen erwachend befreit. Aber überwältigt und unfähig zu einem eigenen Leben verendet er. Caligaris Größenwahn, überdeutlich in der Baumszene, wo der Schriftzug »Du mußt Caligari werden« über die Leinwand taumelt, lenkt den Blick auf die Beziehung von Machttrieb, Lust und Unfähigkeit, die sich in Gewalttaten entlädt (vgl. Abb. 19).

Unverkennbar ist in dieser Konstellation die Dominanz und Lüsternheit des männlichen Blicks, der die Frau zum Gegenstand des Begehrens macht. Deutlich ist auch der Verdoppelung des Exhibitionisten und seines Alter egos. Caligaris verkrampfte Körperhaltung, die ominösen schwarzen Striche auf seinen Handschuhen, sein und Cesares ausgeweißtes Gesicht, die Hell-Dunkel-Kontraste und der ›phallische‹ Stab ›zeigen‹ die verborgene Bedeutung des Sexuellen, weisen auf die Dynamik der Enthüllung, trotz der verkleideten Körper (vgl. Abb. 51).

Lit.: Beicken 1999; Budd 1990; *Das Cabinet des Dr. Caligari,* 1995; *Das Cabinet des Dr. Caligari,* 1985; Eisner 1975, 19–31; Elsaesser, Thomas: »Social Mobility and the Fantastic: German Silent Cinema«, in: Donald, James (Hrsg.): *Fantasy and the Cinema.* London 1989, 23–38; *Filmklassiker* 1, 47–50; Kracauer 1984, 67–83; Robinson 1997; Thiele, Jens: »Die dunklen Seiten der Seele. *Das Cabinet des Dr. Caligari*«, in: *Fischer Filmgeschichte* 1,344–360 (mit Sequenzprotokoll); Jung/Schatzberg 1995.

The Kid
(Das Kind / Der Vagabund und das Kind, 1921)

Chaplins Film ist ein soziales Melodrama, das mit Slapstick, mit grober, unfreiwilliger Komik Vergnügen bereitet. Der Zufall regiert und Arme-Leute-Schicksale unterliegen grotesker Koinzidenz. Eine junge, verarmte Mutter legt ihr Baby in das Auto reicher Leute mit der schriftlichen Bitte, die Familie möge sich des Kindes annehmen und für eine glücklichere Zukunft sorgen. Diebe stehlen aber den Wagen und werden das lästige Bündel im Elendsviertel los. Es gerät dem Tramp Charlie in die Hände. Auch er will sich zunächst der Bürde entledigen, das Kind etwa heimlich in einen Korb legen, in einen fremden Kinderwagen stecken oder gar in den Gully werfen, da alle Versuche scheitern, es loszuwerden. Schließlich ergibt sich Charlie dem Unausweichlichen, ändert seinen Sinn, zeigt Hingabe und liebevolle Betreuung.

Fünf Jahre später sind sie ein unzertrennliches Paar. Ihr aufeinander Eingestimmtsein verdeutlicht der Film in vielen Details: wie Vater und Kind gleiche Bewegungen ausführen, auf dieselbe Art Reinlichkeit pflegen, etwa Fingernägel feilen und nachprüfen. Wenn es um das Überleben geht, sind sie nicht gerade wählerisch in den Mitteln.

52 Der Tramp Charlie und das Kind in »The Kid«

Der Junge, von Jackie Coogan glänzend gespielt, wirft Fensterscheiben ein, und die Schäden behebt der wie zufällig als Glaser an Ort und Stelle auftauchende Charlie, der seinem Schützling auch bei Prügeleien mit anderen Burschen auf der Straße Beistand leistet, wobei sein Eifer allerdings ausartet, wenn er sogar mit einem Ziegelstein drauflosschlägt. Als das Kind schwer erkrankt, wird die private und berufliche Symbiose der beiden abrupt unterbrochen. Der herbeigerufene Arzt misstraut der von Charlie gegebenen Auskunft, er sei »praktisch« (Zwischentitel) der Vater, er glaubt ihm auch nicht die Vorgeschichte von der armen Mutter, die nicht für ihr Kind sorgen konnte. Die benachrichtigten Behörden lassen das Kind von der Polizei aus Charlies Wohnung holen. Aber der Tramp vermag die Hüter des Gesetzes auszutricksen, den Jungen zu befreien und mit ihm ins Asyl zu flüchten.

Inzwischen ist der Mutter das Glück sozialen Aufstiegs zugefallen, und in Entbehrung ihres eigenen Sohnes widmet sie sich der Betreuung verelendeter Straßenkinder. Dabei kreuzt sie, ohne es zu wissen, die Wege ihres Kindes und seines Ziehvaters. Schließlich gibt sie eine Suchanzeige in der Zeitung auf, worauf der Direktor des Asyls den schlafenden Jungen aus Charlies Bett holt und ihn bei der Mutter abliefert, um die Belohnung zu kassieren. In seiner vergeblichen Suche nach dem Kind verzweifelt Charlie und verliert sich in kitschige Wunschträume vom Engelsparadies. Als er daraus erwacht, hat ihn ein wirklicher Polizist beim Kragen und bringt ihn wider Erwarten zu Mutter und Kind, die ihn erfreut bei sich aufnehmen.

Im Film überschlagen sich die witzigen Einfälle, die komischen Eskapaden, die absurden Verwicklungen, der übertriebene Slapstick, was das Pathos dieses Melodramas auf lustige Weise auflockert. Temporeich regiert das Unvorhersehbare die Ereignisse und den Wechsel der Fortüne, bis sich am Ende alles glücklich einrenkt. Chaplin ironisiert die Allmacht der Behörden und kritisiert die sozialen Verhältnisse und Attitüden. Sein Tramp ist der sprichwörtliche kleine Mann, der mit der Tücke der Objekte, mit der Macht der Dinge und verqueren Situationen zu kämpfen hat, sich aber behauptet angesichts der Herausforderung, vor die ihn das Kind (mit seinen großen, fragenden Augen und seiner Pfiffigkeit) stellt: von der Selbstliebe zur Nächstenliebe zu finden, das Kindliche zu erleben, Kameradschaft und Partnerschaft, mit den Kräften des Guten und Hilfreichen im Inneren. Dieses Gute muss sich durchsetzen gegen das problematische (aggressive, gerissene, Vorteil suchende) Anpassungsverhalten, das im Überlebenskampf internalisiert worden ist. Doch nach den Verwicklungen der alles durcheinander wirbelnden Fortuna, nach dem Erdulden und Bestehen der Kapriolen des Schicksals lotet sich die Welt ein zum Happy End.

Lit.: *Filmklassiker* 1, 56–59; Tichy 1974.

Nosferatu. Eine Symphonie des Grauens (1922)

Friedrich Wilhelm Murnaus Verfilmung von Bram Stokers Roman *Dracula* kontrastiert mit eindringlichen Chiaroscuro-Effekten eine scheinbar gefestigte Biedermeierwelt mit dem räumlich fernen Schattenreich einer dunklen Hadesfigur, dem Grafen Orlok, der als Nosferatu, als Untoter sein Unwesen treibt. Der Vampir lechzt aber eher nach Erlösung als nach Blut. In der Eröffnungseinstellung werden aus der Aufsicht vom Kirchturm herab der fast menschenleere Marktplatz und eine ausgestorbene städtische Umgebung gezeigt, kontrastiert am Ende mit dem ruinierten Schloss in Transsylvanien aus der Untersicht. Diese Todesthematik erscheint auch im Familiären, als der ignorante Hutter mit übertriebener Gestik seiner Frau Ellen einen Blumenstrauß reicht und sie ihm vorwurfsvoll den Tod der Blumen vorhält. Hutters Reise aus der selbstzufriedenen Bürgerwelt in das Abenteuer eines Landes der Phantome führt ihn geradewegs in die Fänge des kahlköpfigen und ausgemergelten Unholdes, der zugleich tierhaft und hilflos wirkt wie eine Mischung aus Riesen-Ratte und unmäßigem Säugling. Saugen wird zur Metapher des Erotischen, wenn Nosferatu seine Opfer heimsucht.
Auf telepathische Weise ist Ellen mit dem fernen Terrorgeschehen in Verbindung. Als der blutsaugerische Vampir sich über den ängstlichen Hutter hermacht, versucht dieser sich in seiner Kindlichkeit dadurch zu schützen, dass er unter die Decke kriecht. Ellen erwacht verstört zu Hause

53 *Zwischen zwei schiefen Grabkreuzen die sich sehnende Ellen*
54 *Nosferatus Auslöschung in der aufstrahlenden Morgensonne*

in ihrem Bett und schlafwandelt über ein schmales Balkongeländer, schon hier symbolisch ihre Todesbereitschaft ausagierend. Nosferatu, der von ihrem Bild (dem Hals!) verzaubert ist, nähert sich dieser heimlichen Liebe auf dem Schiff Demeter. Hutter dagegen, der sich aus seiner Gefangenschaft im Schloss befreit hat, eilt zu Pferde über Land zurück in die Heimat. Murnau gestaltet diese faszinierende Parallelaktion in subtiler, vielschichtiger Bildkomposition.

In der Strandszene, wo Ellen in Erwartung des Kommenden auf einer Bank am Meer sitzt, überwiegt Friedhofsstimmung. Eingerahmt von einer abrundenden Irisblende zeigt sich im Halbprofil die sich sehnende trauerschwarze Figur, umgeben von windschiefen Kreuzen, die die Gräber von geborgenen Schiffbrüchigen markieren. Ellen befindet sich auf der Seite in einer Mulde zwischen den Dünen, sodass eine wellenartige Dynamik dieses Bild scheinbarer Ruhe erfasst. Von den fast umstürzenden Kreuzen geht keine christliche Hoffnungsgewissheit aus. Komposition und Kontext suggerieren ein Verlangen Ellens nach dem Unerlösten, dem sie sich dann später zur Rettung ihrer Stadt von der Pest hingibt, indem sie den Sauger, der sie begehrt, bei sich im Bett festhält, bis er sich von den Strahlen der Morgensonne getroffen in nichts auflöst.

Lit.: Kracauer 1984; Eisner 1975; *Filmklassiker* 1, 68–71; *Nosferatu* 2000.

Der letzte Mann (1924)

Diese filmische Fabel handelt vom sozialen Abstieg und ist berühmt für die »entfesselte Kamera«, gelegentlich eine flanierende Kamera, die das Schauspiel des Städtischen genießerisch aufnimmt. Der von Emil Jannings als Mitleidsfigur dargestellte Portier genießt in seiner prachtvollen Uniform in einem Land, wo die Uniform »König« ist (Eisner), das Ansehen der Mitbewohner seiner Mietskaserne. Sein Selbstwertgefühl ist ganz von diesem Statussymbol bestimmt. Als er den Ansprüchen kräftemäßig nicht mehr genügt, wird er aus Altersgründen, wie es beschönigend heißt, zum Toilettenmann herabgestuft. Um seine Veränderung am Arbeitsplatz zu vertuschen, hat er die Uniform entwendet, aber als der Schwindel auffliegt, wird er zum Gespött seiner Hinterhofwelt, der Nachbarn und der entfernten Familie, die sich seiner schämt. Von allen verstoßen endet er im Waschraum, ein Bild des Jammers, bedauert nur vom Mitgefühl des Nachtwächters, der ihn mitleidsvoll mit seinem Mantel zudeckt.

Murnau hat diese Abstiegskarriere zu Beginn der Stabilisierungsphase der Weimarer Republik als soziale Parabel der Hierarchien in der modernen Gesellschaft gestaltet. In seiner stattlichen, aber altmodischen Uniform erinnert der Portier an vergangene wilhelminische Selbstherrlichkeit. Sein Gehabe ist aber weniger machtbewusst als dünkelhaft, von einer Eitelkeit, die menschliche Substanzlosigkeit transparent macht, auch wenn diese patriarchalische Statusfigur sich menschenfreundlich zeigt. Abgelöst wird diese Symbolgestalt von einem neuen Portier, dessen sachliches Verhalten und vereinfachte, schmucklose Kleidung das bloße Funktionieren im Räderwerk der neuen Zeit zum Ausdruck bringt.

Die beiden Gegenwelten, Hotel und Hinterhof, sind von Murnau als Studiobauten (im Gegensatz zu den natürlichen Drehorten in *Nosferatu*) bis ins Detail auf die Thematik von sozialer Hierarchie und menschlicher Tragik hin abgestimmt. Den Eingang des Hotels Atlantic flankieren zwei Atlasfiguren als Lampenträger. Der antike Mythos von Atlas, der für seine Hybris bestraft wird, die Welt auf seinem Nacken zu tragen, verstärkt im Visuellen das Motiv der Vermessenheit und der Bestrafung des Portiers. Es war ein Fall von falscher Selbsteinschätzung und Überheblichkeit, dass er zu Beginn des Films die Koffer vom Droschkendach herunterwuchtete. Der Manager half in der Situation, die über die Kräfte des alten Mannes ging, durch die Versetzung in den Keller.

In der Traumszene mit ihrer die Subjektivierung des Kamerablicks aus der Innenperspektive des angetrunkenen Portiers wird die schmachvolle Degradierung zum Toilettenmann durch Wunschfantasien kompensiert. So sieht sich der Portier in seinem Wunschtraum nicht als Härte-

55 Hotel Atlantic in »Der letzte Mann«: Eleganz und ›Straßenrausch‹
56 Symbolik im Mythos: Atlant als Lampenträger

fall oder Versager, sondern als stattlichen Atlas mit über-
menschlichen Kräften, dem es ein Leichtes ist, Koffer ein-
armig in die Höhe zu stoßen und wieder aufzufangen.
Die fast groteske Komik dieser Überkompensation findet
ihre Fortsetzung in dem umstrittenen Epilog des Films,
die aus dem armen Verlierer einen steinreichen Millionär
macht, der in ironischer Anspielung auf biblische Gleichnisrede zuletzt lacht. Noch im Detail der Atlasfigur macht
Murnau deutlich, dass der Portier nicht nur bemitleidens-
wertes Opfer gesellschaftlicher Indifferenz und Willkür
ist, sondern auch menschliche Unzulänglichkeit, Überheblichkeit und tragische Verblendung zeigt. Unter seiner
Uniform ist der Portier ein Beispiel von Ich-Schwäche,
Selbstentfremdung und rollenbestimmter Existenz, die
kein selbstbestimmtes Wesen ermöglicht.

Lit.: Kracauer 1984; Eisner 1975; *Filmklassiker* 1, 108–113;
Kreimeier (Hrsg.) 1988; Keitz, Ursula von: »Der Blick ins
Imaginäre«, in: Kreimeier (Hrsg.) 1994, 80–99 (Sequenz-
analysen).

Metropolis (1926)

Fritz Langs Monumentalfilm nach dem gleichnamigen Roman seiner Frau Thea von Harbou ist eine Mischung aus
grandioser Bildhaftigkeit, visionärer Science-Fiction und
peinlichen Sentimentalitäten in Handlung und Konzeption. Eklatant ist der religiöse Schematismus der sozialen Dreigliederung. Zwischen dem Herrscher von Metropolis (Johann Fredersen) und den Massen steht der Sohn
(Freder), den die madonnenhafte Figur der Jungfrau (Maria) zum erlösenden Mittler zwischen dem Vater und den
Arbeitern inspiriert. Im Sinne der Klassengegensätze sind
die in der Fron an den Maschinen darbenden Werktätigen
der Unterstadt das revolutionäre Potential, das Fredersen
zu bekämpfen sucht, indem er die Unzufriedenen von der

böswilligen Maria zu selbstzerstörerischer Irrationalität aufhetzen lässt.

Spektakulär ist die »Transformation des Roboters in den weiblichen Körper, in Maria, jetzt als Vamp und Agent provocateur«. Homunkulus- und Frankensteinmotive aufnehmend, lässt Lang den alchemistischen Magier und Techniker Rotwang in einer dynamischen »Bildfolge von brodelnden, elektrifizierten Essenzen in Glasbehältern, von Lichtstrahlen und sich um die stählerne Maria legenden Aureolen aus Licht« im Labor diese »Weib«-Maschine schaffen (Kiefer in: *Filmklassiker* 1,154). Es ist eine Spaltung der Frau in keusche Jungfrau mit reinem Herzen und in erotisierte Verderberin. Sexualität wie Technik faszinieren und bedrohen zugleich, wie der menschenverschlingende Maschinenmoloch deutlich macht. Biblischen Motiven nachempfunden sind die sintfluthafte Überschwemmung der Arbeiterquartiere und Marias und Freders Rettung der zurückgelassenen Kinder.

Der Film harmonisiert am Ende die sozialen Gegensätze. Die Kontrahenten, durch den Mittler Freder animiert, reichen sich versöhnt die Hände, der Vater, den die Angst um das Leben seines Sohnes bekehrt hat, und der Anführer der Arbeiter, die in strenger Keilformation vor der Kathedrale die Revolte zugunsten eines (frommen) Kompromisses aufgeben. Biblische Motive sind überreich präsent. Da sind die Katakomben der urchristlichen Sklavengemeinde, die Heilige Dreifaltigkeit von Vater, Sohn und (jungfräulichem) Geist, die ›Kreuzigung‹ Freders auf der leuchtenden Rundscheibe als Imitatio Christi, die Sintflut, das Wandlungsmotiv, die Heilands- und Erlösergestalt, und die Transformation der exotisch-anzüglichen Nackttänzerin Maria in die große Hure Babylon der Apokalypse.

Als Warnbeispiel zur Erhaltung des sozialen Friedens erzählt Maria die Parabel vom Turmbau zu Babel. Die biblische Geschichte von der Vermessenheit der Menschen, die von Gott durch Zerstörung des Turms und die Sprachverwirrung gestraft werden, macht Maria zum

57 Der besessene Rotwang mit seiner Erfindung: ein weiblicher Roboter
58 Arbeitssklaven des Turmbaus sind zum Aufstand bereit

Exempel notwendiger umfassender Kooperation. Sie sieht das Werk der großen Planer des Turmbaus gefährdet, wenn die Kopfarbeiter nicht mit dem Heer der versklavten Arbeiter Hand in Hand gehen. Ihr Plädoyer für den Arbeitsfrieden übergeht die biblische Hybris und Strafe und deutet den Turmbau als ein Problem der Zusammenarbeit von Management und Arbeitermassen. Damit wird dem Film über die Manhattan ähnliche Stadt der Zukunft mit ihrer monumentalen Architektur eine Gleichnisrede von Hierarchie und Organisation beigesellt, die utopischen Ausgleich und soziale Harmonie anvisiert.

Lit.: Elsaesser 2000a; *Filmklassiker* 1,152–156; Geser 1996; Metroplis 2000; Patalas 2001; Schönemann 1992; Töteberg 1985; *Fritz Lang's »Metropolis«* 2000; Vana 2001.

Die allseitig reduzierte Persönlichkeit – REDUPERS (1977)

Der Film von Helke Sanders, ein früher feministischer Film, ist ein Frauenporträt und zugleich Stadtporträt mit Berlin aus der Sicht einer Fotografin (Edda Chiemnyjewski), von der Regisseurin gespielt. Der Titel ironisiert den DDR-Slogan von der »Entwicklung allseitig gebildeter sozialistischer Persönlichkeiten« und weist mit dem Begriff »reduziert« Defizite und Benachteiligungen auf, denen nicht zuletzt Frauen im Westen unterlagen. Edda, eine allein stehende Mutter und freie Pressefotografin, lebt mit Dorothea, ihrer eingeschulten Tochter, und Carla, einer Mitbewohnerin, die ihr bei der Betreuung Dorotheas hilft. Dennoch ist Eddas Leben geprägt vom Gespaltensein ihrer Existenz, von der Mutterrolle, die oft genug in Konflikt gerät mit ihren beruflichen Verpflichtungen. Diese Spannungen im Privaten finden ihre gesellschaftlichen Entsprechungen in ihrer Fotogruppe, bestehend aus ebenfalls allein stehenden Frauen und Müttern, für die Selbständigkeit, kreativer Beruf und Sorge um Haushalt und Kinder konfliktreich verschränkt sind.

Aber da ist das geteilte Berlin, dessen westlichen Teil fotografisch zu dokumentieren die Gruppe einen Senatsauftrag erhält. Diese Bestandsaufnahme wird zu einem Projekt kritischer Auseinandersetzung mit der Realität der Teilung Berlins. Eine wandplakatgroße Bilderserie wird hergestellt, die Berlin nicht aus werbender, beschönigender oder auch auf das Thema Frau beschränkter Perspektive zeigt. Der Kampf der Frauen um Anerkennung ihrer Belange in der Öffentlichkeit, ihre kreative Suche nach Authentischem und der Transparenz gesellschaftlicher Wirklichkeit im geteilten Deutschland schreibt sich ihren Bildkonzeptionen ein.

Berühmt ist das Bild, das die vielschichtige Thematik dieses Spiel- und Dokumentarfilms auf eindrucksvolle Weise vereinigt: die Arbeit der Frauen, die das Großfoto von der Mauer zur Mauer hintragen, ihre

59 *Das Plakatbild von der Mauer vor der Mauer*

Einsamkeit, der Mangel an teilnehmender Öffentlichkeit, die Mauer selbst als Symbol und Wirklichkeit der geteilten Stadt, die Stadt als verwundbare, verwundete (der eindringende weiße Keil), Kunst und Realität, Kunst als selbstreflektierende, denn die Fotografie im Film verdoppelt das Filmbild, obwohl Unterschiede bestehen, schon in den Autotypen, was Original und Variation als Mittel der künstlerischen Darstellung deutlich macht. Ist die Mauer ein Verweis auf die Geschichte, so aktualisiert die Inschrift, »keine Hinweise an die Polizei« den zeitpolitischen Aspekt der gesellschaftlichen Konfliktstruktur Westberlins, wo APO (Außerparlamentarische Opposition) und die politisierte Szene das Establishment bekämpfen und auch verfolgt werden. Aber der Haupteindruck dieses Standfotos ist visuelle Blockade und Leere, eine von der Geschichte produzierte Unterbindung von Bewegungsfreiheit und entfremdete Urbanität. Weder kann das Auto weiter, noch zeigt die Kamera einen über den traurigen Häuserfronten sich erhebenden Horizont des Himmels, der Freiheit der Lüfte und Hoffnung versprechen könnte. Alles ist beschränkt, so wie Eddas Existenz in dieser Stadt eine reduzierte ist.

Lit.: Fischetti 1992, 27–67; Frieden (Hrsg.) 1993, 1,143–161 (Ruby Rich); Vogt 2001, 599–607.

Angst essen Seele auf (1973)

Rainer Werner Fassbinders durchkomponiertes, von Douglas Sirk inspiriertes Melodrama einer konfliktreichen Liebe zwischen der älteren Putzfrau Emmi und einem jungen marokkanischen Gastarbeiter konzentriert sich vielschichtig auf die Außenseiterproblematik: Alter, Ausländer, Hautfarbe. An der Diskriminierung durch eine intolerante Gesellschaft geht diese Beziehung zugrunde, auch wenn Emmi den an Magengeschwüren erkrankten Ali nicht aufgeben will. Die Prognose des Arztes steht auf Wiederkehr der Krankheit.

Unwillkürliche Anpassung der Figuren an gesellschaftliche Wertvorstellungen bestimmen Alis und Emmis Verhaltensweisen. Ali ist immer adrett angezogen, meist im Anzug, und die Kleidung weist ihn als dazugehörig aus. Aber durch Sprache, dunkle Hautfarbe und Essensvorlieben (Couscous) liegt er quer zur eng gezogenen Akzeptanz der ausländerfeindlichen Umwelt. Emmi, vordem eine Mitläu-

60 Emmi und Ali, vom sozialen Blick bedrängt, in Fassbinders »Angst essen Seele auf«

ferin in der Hitlerzeit, ist trotz ihrer Offenheit und Liebe zu Ali kulturell vorprogrammiert, es kommt zu Verständnisschwierigkeiten und Untreue zwischen den beiden ungleichen Partnern (vgl. Abb. 35).

Filmisch findet Fassbinder eine besondere Ausdrucksweise, die Engstirnigkeit und den Rassismus der Nachbarn zu visualisieren. Die vielen Innenszenen zeigen die Figuren eingeklemmt in bewegungslähmende Räume und einengende Türrahmen (mit suggestivem Blickfeld außerhalb des Eingerahmten – *hors champs*). Parallel dazu setzt er den sozialen Blick ein, der spionierend die beiden Außenseiter überwacht, ihr Verhalten feindlich kontrolliert und ihre Beziehung missbilligt. Höhepunkt dieser Blickzensur und Ausgrenzung ist die Szene im Gartenrestaurant, wo Ali und Emmi nach ihrer standesamtlichen Trauung den Blick einer tableauhaft aufgestellten Gruppe ertragen müssen, die gesellschaftliche Repräsentanz beansprucht, da es sich nicht nur um die Kellner des Restaurants, sondern auch um zusätzliche, kaum als Gäste anzusehende Figuren handelt. Emmi schleudert den sie Anstarrenden wütend entgegen: »Ihr Schweine!« Machtlos muss sie, verzweifelt weinend und von Ali liebevoll getröstet, die unerbittliche Demütigung und das Verstoßenwerden durch den strafenden sozialen Blick hinnehmen.

Lit.: Pflaum 1976; Fassbinder 1992; Limmer 1981; Fassbinder 1984.

Männer (1985)

Doris Dörries deutsche Version einer *Screwball Comedy*, einer amerikanischen Dialogform der Filmkomödie, bei der scheinbare Widersacher sich im Endeffekt nach endlosen Zwiegesprächen versöhnen, kontrastiert zwei Welten der Wohlstandsgesellschaft: eine sich im Reichtum sonnende Vorstadtfamilie und eine Wohngemeinschaft in der Münchner Innenstadt, wobei Einzelfiguren witzig gegeneinander gestellt werden: Julius Armbrust, ein erfolgsverwöhnter Managertyp der Werbebranche, der beruflich und sexuell seine Dominanz ausspielt, und Stefan, ein Werbezeichner, der der Alternativszene angehört. Dörrie verlegt sich auf das klassische Liebes-Dreieck. Paula, das Heimchen in der Vorstadtvilla, hat ihr Eingekerkertsein satt, zudem ihr Julius sich kruden Affären im Büro hingibt. Sie geht eine Beziehung zu Stefan ein, was ihren Mann, der dies am zwölften Hochzeitstag erfährt, so in seiner Eitelkeit verletzt, dass er alles unternimmt, den Rivalen auszustechen. Zu dominieren ist seine Eigenschaft. Julius zieht unter dem Namen Daniel bei Stefan ein, und die beiden entwickeln eine Männerfreundschaft, die immer wieder durch Daniels Aggressionen gefährdet wird, während Stefan verständnisvoll reagiert. Das Eifersuchtsdrama erfährt eine überraschende Lösung, als Stefan von Daniel umfunktioniert und von einem Aussteiger in einen Aufsteiger umverwandelt wird, der ihn, den Alternativen, zum Konformisten der etablierten Gesellschaft macht, eine moderne Pygmalion-Variante. Worauf Paula, die an Stefan das Unangepasste liebte, das Interesse verliert, denn in ihrer Vorstadtlangeweile sehnte sie sich nach dem verführerisch Anderen.

Die Szene zu dritt mit Paula, Stefan und Daniel, der sich hinter einer Gorillamaske verbirgt, ist Klimax des Verwechslungsspiels. Diese King-Kong-Anspielung evoziert das Wilde, Dschungelhafte, das Daniel, der sich wie ein tolpatschiges Kind benimmt, schon vorher im Urschrei über die Dächer Münchens ausposaunt hat. Wenn Paula mit dem Gorilla flirtet, ohne ihren Mann zu erkennen, und lustvoll tierische Laute von sich gibt, deutet sie an, was ihr in ihrem bürgerlichen Vorstadtkerker fehlte: das Ungezähmte, Animalische, Spielerische, Triebhafte (vgl. Abb. 61). Stefan, von Daniel/Julius am Ende eingefangen in die Karrierestrategien der Leistungsgesellschaft, tauscht das Alternative ein für Anpassung und Erfolgsstreben. Männer bleiben Männer, ist das ironisch-melancholische Fazit Dörries. Die in Unterhosen verschämt lachenden und lächerlichen beiden Männer/Kontrahenten/Partner im Paternoster sind im Schlussbild bloßgestellte Typen, deren (männliche) Unzulänglichkeiten bleiben, ungelöst und unlösbar.

Dieses (verborgene) Liebes-Dreieck ist die Klimax, die nach langer Vorbereitung die Erzählfäden und Parallelhandlungen auf den komischen Höhepunkt einer traditionellen, zugleich unkonventionellen Konfrontation treibt. Die Maske verhindert das Erkennen, aber das Spiel im Spiel entlarvt die Unzulänglichkeiten der Figuren: Paulas Flirt mit dem Monster aus verspielter Ahnungslosigkeit; Stefans Ignoranz gegenüber den wahren

61 Versteckspiel im Liebes-Dreieck

169

Verhältnissen; Julius'/Daniels Angst vor dem Erkanntwerden, seine Sucht, immer der ›Spielmacher‹ zu sein.

Lola rennt (1998)

Tom Tykwer hat einen reißerischen Menschen-in-
der-großen-Stadt-Film geschaffen, der raffiniert Anleihe
bei vielen Werken der Filmgeschichte macht – das Zitieren als eine besondere (postmoderne) Schaulust und
Kunst des Wiedererkennens. Die Story ist simpel. Manni,

ein junger Spund, der als
Geldkurier für Diamanten-
schmuggler arbeitet, hat
dummerweise eine Plastik-
tüte mit ganzen 100 000
Mark in der U-Bahn liegen
lassen, als er Kontrolleuren
entwischt. Künstlerpech.
Lola soll helfen. Edle Aufgabe. Während ihr rotes Te-
lefon wie eine Raumsonde

*62 Zeit ist Schicksal: Manni
und die rennende Lola*

durchs Zimmer schwebt, bringt sie sich zu Technorock auf
Trab und läuft den Comics im Fernsehen ähnlich durch die
Stadt wie ein unaufhaltsames Fremdwesen. Als sie von
ihrem Vater das nötige Geld nicht lockermachen kann,
aber zum Treffpunkt rast, ist Manni schon durchgedreht
und beim Raubüberfall im Supermarkt, wo sie ihm gerade
noch rechtzeitig Hilfe leisten kann. Aber es gibt kein Entkommen. Von der sie umstellenden Polizei trifft Lola eine
vorschnelle Kugel, und sie stirbt im Zeitlupentempo, stau-
nend, vom Tod überrascht.
Tykwer bringt dann in *Rashomon*-Anleihe zwei weitere Versionen. Lola erzwingt beim Vater das Geld, kommt
auch Mannis Überfall zuvor, kann aber seinen Tod – er
kommt unter einen Unfallwagen – nicht verhindern. In
der Schlussversion ist es das Rad der Fortuna im Spiel-

kasino, das Lola glücklich beschenkt. Manni hat zudem seine geldschwere Plastiktüte von einem Penner wiedererlangt, und beide haben doppeltes Glück.

Zeit ist Geld, und hier ist Zeit auch mal wieder Schicksal. Postmodern versiert wird filmisch philosophiert, auch über die kaputten Beziehungen in Familien (Lolas untreuer Stiefvater, die trinkende Mutter) und vor allem über die Liebe. Es gibt sogar rote Bettszenen wie in einer fotografischen Dunkelkammer, als müssten die Zuschauer die Bilder und das Gesagte über die Liebe selber (weiter)entwickeln. Jedenfalls ist das Tempo rasant, und was macht es schon aus, wenn man zum Schluss verschwitzt und atemlos ist. C'est la vie.

Lit.: Tykwer 1998; Vogt 2001, 733–744.

8. Verfilmung: Literatur und Film

Verfilmung von Literatur sahen viele als »einen ›Raubbau‹, ein ›Schmarotzertum‹, andere gar als einen ›Kahlschlag im Zauberwald der Literatur‹« (Hickethier, Hrsg. 1979, 63). Literatur ist gewiss eine bedeutende künstlerische Vermittlung von Erfahrung und Fantasie, die von Oralität in Gesang und Erzählen durch Verschriftlichung und Druck zum reproduzierbaren Text geführt hat. Film, zunächst Jahrmarktsunterhaltung und Bilderspektakel mit Sensationen und Attraktionen, kam der höher geschätzten Literatur näher, als die auf Bewegungsfluss konzipierten Bilderfolgen Strukturen vor allem des Narrativen und auch des Dramas übernahmen für Story oder dramatisches Spiel.

Sprache ist das Medium der Literatur (wie das Bild im Film), doch eignet der Literatur auch Visuelles. Denn im fiktiv Erzählten wird in den Beschreibungen auch ein imaginierter Raum konstituiert. Zu diesem virtuellen Raum

171

gehört ein Blick, der Menschen, Gegenstände als im Raum befindlich, Situationen und Ereignisse als im Raum sich abspielend wahrnimmt. Diesen Blick als panoramischen aus der gehobenen Position des Betrachters/Voyeurs bietet paradigmatisch E. T. A. Hoffmanns *Des Vetters Eckfenster* (1822), wo das Geschehen auf dem Berliner Gendarmenmarkt intensiv verfolgt wird (Segeberg, Hrsg. 1996, 191). Sowohl aus der überlegenen Perspektive der Überschau als auch in dem Zoom zu Einzelnen in der Menge bis hin zur Detailaufnahme, dem Kopftuch etwa, erweist sich der Blick aus dem erhöhten Erker als ein filmischer und der Sehende als eine »narrative Kamera« (Beicken [2]1999). Denn Raum und Geschehen werden zur erzählten visuellen Wirklichkeit in diesem Schauen, das sich auf das »Sichtbare« konzentriert und eine filmische Schreibweise vor dem Kino einleitet (Segeberg, Hrsg. 1996, 248). Im Zeitalter der Bewegung kommt der »Straßenrausch« (Köhn), die intensive urbane Wahrnehmung hinzu, in der Literatur als Darstellung des Sichtbaren Befriedigung der Schaulust des städtischen Flaneurs/Voyeurs. Organisiert sich der Film zur visuellen Erzählung, so bringt er Figuren, Handlung, Zeit und Schicksal ins Spiel und zugleich das Bedürfnis, das Geschehen der Literatur leibhaftiger zu machen, in Bewegung zu setzen, Bildfolge werden zu lassen, alles ein Impetus zur Verfilmung.

Bei der Adaption (Gast 1993) unterscheidet sich die stofforientierte Verfilmung, die eine bekannte Erzählung (Roman, Novelle) ›umsetzen‹ will, von der Aufzeichnung etwa eines Theaterstücks, obwohl beide zu popularisieren beabsichtigen. Literaturverfilmungen deutscher Klassiker, vor allem im Fernsehen, dienen dieser Tendenz. Goethes *Faust*, ein Lieblingssujet des Films seit seinen Anfängen und überragend verfilmt von Murnau (1926; vgl. Prodolliet 1978; Beicken 1999), war in der Inszenierung von Gustaf Gründgens ein Sonderfall. Sein Film (1960) in der nominellen Regie von Peter Gorski geht über die Aufzeichnung und übliche »Theaterkonserve« hinaus »durch ständigen Wechsel zwischen Szenentotalen und Großaufnahmen sowie schnelleres Sprechtempo«, was neue Akzente setzt (Ströhl, Hrsg., 38). Zudem nutzt Gründgens die filmischen Verfahren, aus seiner Interpretation von Mephisto als Mittelpunktsfigur regelrecht einen ›Mephisto‹-Film zu machen.

Ein weiteres Beispiel der verschlungenen Literatur-Film-Beziehungen sind Ulrich Plenzdorfs *Die neuen Leiden des jungen W.*, ursprünglich (1969) von ihm als Drehbuchentwurf bei der DEFA eingereicht, um am Beispiel von Goethes brisantem Briefroman *Die Leiden des jungen Werthers* (1774) die Wirkung von Klassik auf die Jugend Ende der sechziger Jahre einzufangen. Nach Zurückweisung seines Vorschlags, der in der damaligen DDR zu antiautoritär und zu wenig konform mit dem real existierenden Sozialismus erschien, verfasste der Autor eine Erzählung, die 1972 in der Zeitschrift *Sinn und Form* erscheinen konnte, während eine Theaterfassung großen Erfolg an westlichen Bühnen hatte und erst darauf auch in der DDR aufgeführt wurde. Zur schließlich 1975 erfolgten Verfilmung in der Bundesrepublik meinte Knut Hickethier: »Erst in der Verfilmung entfalten die dramaturgischen Mittel Plenzdorfs ihre volle Wirkung: die episierende Erzähltechnik und die Reflexion des Erzählten, die Unterbrechungen der Handlung und das Montage-Prinzip« (Ströhl, Hrsg., 54). Abstriche gegenüber diesem Lob der Form machte Heribert Hopf, der zunächst den lässigen Umgang mit dem Klassiker kritisierte: »Ein Beispiel für die freundlich-herablassende Haltung bilden die in die Spielhandlung einbezogenen *Werther*-Zitate: immer gut für hübsche Pointen, kaum je auf erhellende Wirkung bedacht.« Hopf fand auch zu viel »Halbherzigkeit« in dieser Verfilmung: »Doch fehlt es der Realisierung vor allem in den Spielszenen, an Entschiedenheit und Mut« (ebda., 56). Plenzdorf jedenfalls hatte sich mit der Aktualisierung des Klassischen befasst, was sehr häufig Methode und Ziel der Verfilmungen klassischer Stoffe ist.

Aus der Theaterarbeit kommt das Konzept der Werktreue, wenn eine Inszenierung möglichst dem Werk zu dienen vorgibt. Dabei stellen Aktualisierung und Regietheater Gegenpole dar, indem anders als in der historisierenden Bearbeitung neue Bedeutungsaspekte durch Bezug auf die aktuelle Situation der Zuschauer in den Vordergrund gerückt werden. Werktreue in der Literaturverfilmung hat André Bazin als zwiespältiges, paradoxes Konzept beschrieben und dagegengehalten, dass gerade »die Unterschiede in den ästhetischen Strukturen« der Medien Literatur und Film berücksichtigt werden müssen, dass wie beim Übersetzen zwischen den Gegensätzen der Wort-für-Wort-Übersetzung und der freien Übersetzung ein Mittelweg gefunden werden muss. Laut Bazin »muß eine gute Adaption das Original in seiner Substanz nach Wort und Geist wiederherstellen können. Wir wissen aber, daß eine gute Übersetzung eine sehr vertraute Kenntnis der Sprache und des ihr eigenen Geistes erfordert« (Bazin 1975, 45ff.). Richtig verstandene Werktreue wäre also nicht Versklavung durch das Original, sondern mediale Transformation in Entsprechung der Vorlage.

Wolfgang Gast listet vier Adaptionsformen (nach Helmut Kreuzer) auf:

1. Adaption als Aneignung von literarischem Rohstoff. Viele Filme sind geschaffen »nach Motiven« etwa der Abenteuerliteratur. *Der blaue Engel* lässt große Teile der Vorlage unbeachtet oder deutet sie erheblich um.

2. Adaption als Illustration. Diese »bebilderte Literatur« vernachlässigt die Eigengesetzlichkeiten der beiden Medien und bringt meist keine interessanten Transformationen zustande, weil die Vorlage ins Visuelle kopiert wird, was weitgehend zu konventionellen und auch langweiligen Endprodukten führt, besonders in den Verfilmungen von Kinderbüchern, aber auch in anderen Literaturverfilmungen.

3. Adaption als Transformation. Hier wird umgesetzt, aber ohne Kopierabsicht, sondern die Verfilmung sucht ein

»analoges Werk«, die medienspezifischen Bedingungen leiten den Einsatz der Verfahren und die Veränderungen in der Vorlage, denn statt Wörtliches zu zitieren werden effektive Entsprechungen intendiert (Herzogs *Woyzeck*, 1979). Das kann zur interpretierenden Transformation führen, die auf radikal subjektive Weise die Vorlage verändert, aber sich dennoch an deren Geist orientiert und dem Zuschauer die Verschiedenheit von Vorlage und Verfilmung, d. h. den interpretierenden Standpunkt bewusst macht wie etwa in Fassbinders *Effi Briest*, wo Fontanes Text ausgiebig im Off zitiert wird und dadurch in der anders gearteten Adaption präsent bleibt (auch Fassbinders *Berlin Alexanderplatz*).

4. Adaption als Dokumentation. Hier handelt es sich vor allem um Verfilmungen von Theaterinszenierungen, die, wie das *Faust*-Beispiel zeigt, die filmischen Mittel so einsetzen können, dass filmgerechtere Aufzeichnungen entstehen. Inhaltlichem Konzept nach unterscheidet Gast noch die aktualisierende, aktuell-politisierende, ideologisierende, historisierende, ästhetisierende, psychologisierende, popularisierende und parodierende Adaption; Differenzierungen, die je nach Inhaltsgesichtspunkt modifiziert werden könnten.

Die Verfilmung »nach« Franz Kafkas Romanfragment *Der Process* von Orson Welles aus dem Jahre 1962 (mit Anthony Perkins als Josef K., Jeanne Moreau als Fräulein Bürstner und Romy Schneider als Leni, der Hilfe des Advokaten Hastler, den Welles selbst spielte) ist eine sehr freie Adaption, eine subjektive Uminterpretation. Für Welles, kein Kafka-Kenner nach eigener Aussage, war K. ein kleiner Bürokrat, schuldig als der Angepasste und Kollaborateur in einer schuldigen Gesellschaft, die Welles als Prä-Auschwitz bezeichnete und deutlich auf den Holocaust bezog (vgl. *Cahiers du Cinéma*, Nr. 165, April 1965). In der Szene, wo K. auf dem Weg zur ersten Untersuchung durch eine alptraumhafte Gegend kommt, die sehr einem Konzentrationslager ähnelt, starren ihn die vielen Insassen mit Nummernschildern um den Hals flehentlich an, werden aber von ihm ignoriert. Hier versucht Welles den Kafka zugeschriebenen prophetischen Aspekt, d. h. die Vorwegnahme der KZ-Gräuel, zu aktualisieren.

Welles beginnt den Film nach dem Vorspann mit der Türhütergeschichte als einer Art Prolog, um die Thematik der Vergeblichkeit und des Scheiterns zu exponieren und gleichzeitig K.s Schicksal mit dem des Mannes vom Lande gleichzusetzen. Welles greift später auf die von ihm erzählte Parabel zurück, wenn er als Advokat K. die Parabel verkürzt vorträgt, wobei er ihn im Projektionslicht so isoliert, dass er mit dem Mann vom Lande visuell koaliert.

Die manipulierenden Intentionen sind spürbar, wo Welles in der Verhaftungsszene das von Kafka angelegte Komödienhafte mehr in Klamauk als schwarze Komödie verwandelt. Wie K. von den beiden Wächtern inspiziert wird, ist überdrehter Slapstick. Bei Welles hat K. einen »Pornographen« statt Phonographen. Auf dem Fußboden in seinem Zimmer finden sich die Schraubenlöcher eines Zahnarztstuhles, der einen kreisrunden Abdruck auf dem Boden hinterlassen hat, der »ovular« genannt wird, eine nach K.s Dafürhalten unsinnige Anspielung. Das Tolpatschige der Wächter soll wohl durch solche sprachlichen Fehlleistungen zum Ausdruck kommen, aber dieser Humor wirkt zu angestrengt. Wichtige Aspekte der Verhaftung kommen kaum in den Blick, etwa das Beobachtetwerden, als K. aufwacht, obwohl er vom Balkon seiner Wohnung aus die Mietskaserne ihm gegenüber wahrnimmt, was bei Welles aber ohne Signifikanz bleibt.

Eine umfassende Analyse dieser Verfilmung muss sich, wie Thomas Eigen es tut (Korte, Hrsg. 1987), mit vielen Aspekten befassen: dem Inhalt, um einen groben Überblick zu erhalten; dem Thema, um die Hauptstoßlinie des Films zu erfassen; dem Aufbau des Films, um Handlungs-, Zeit- und Erzählstruktur gerecht zu werden.

Auch gilt es, Handlungsverteilung auf die Sequenzen, Darstellungsdauer und Einstellungszahl, die Einstellungen selbst im Hinblick auf Profil, Größen und Dauer zu untersuchen. Bei der Schnitttechnik kommt es auf die Frequenz einschließlich der Subsequenzen an, auf ihre inhaltliche Interpretation, ihre Aussagefähigkeit und das Schnitttempo, wobei ein erhöhtes Tempo des Schnitts eine steigende Spannungsintensität ergibt. Welles setzt auch Kamerawinkel als effektvolles Aussagemittel ein, vor allem die Großaufnahme (38 %), wodurch das Geschehen als ein näher kommendes, K. bedrängendes deutlich wird. Die Raumgestaltung ist einerseits eine realistische, vor allem von Innenräumen, während alle Bereiche, die mit dem Gericht zusammenhängen, einen irrealen Eindruck vermitteln.

Bei Welles sind die expressionistischen Tendenzen unverkennbar, etwa die überdimensionale Tür zum Gerichtssaal; das Büro, wo K. arbeitet, mit seiner unendlichen Ausdehnung und den wie Roboter funktionierenden Angestellten, wobei die Beleuchtungseffekte die Schattenkunst des Expressionismus mit ihren harten Kontrasten aufgreifen, um die psychische Situation K.s und sein Gefühl des Bedrohtseins zu verdeutlichen. Auch im Dialog weicht Welles von der Vorlage ab, um seine Vorstellungen durchzusetzen und ein Gefühl des Ausgeliefertseins zu vermitteln. Dazu kommt die Themenmusik, ein Orgel-Adagio von Tommaso Albinoni, dessen melancholische Barockmanier K.s Verlorensein unterstreicht, wohingegen die rhythmisch betonte Jazzmusik dynamische Wechsel und Handlungsbeschleunigung begleitet.

Das Figurenensemble hat Welles schon in manchen der Namen deutlich verändert. Kafkas Advokat Huld, dessen Name eine schillernde, erlösende Bedeutung suggeriert, wird zu Hastler, was an Kafkas Unterstaatsanwalt Hasterer erinnert, und die Frau des Gerichtsdieners erhält den Namen Hilda. Umdeutungen der Figuren zeigen sich bei Erna (Irmie bei Welles), die in Kafkas Werk nicht in Erscheinung tritt, sondern ihren Vater, K.s Onkel Karl, von

177

den Dingen unterrichtet, die sie ausfindig gemacht hat. Bei Welles sucht sie persönlichen Kontakt zu K., sodass ihm sein Vorgesetzter sogar Vorhaltungen wegen einer möglichen Beziehung zu einer Minderjährigen macht. Welles verändert auch Figur und Charakter von Fräulein Bürstner. Bei Kafka ist sie ein Schreibmaschinenfräulein und K.s Zimmernachbarin in Frau Grubachs Pension, bei der er sich am Abend seines Verhaftungstages zunächst wegen der durch seine Verhaftung verursachten Unordnung in ihrem Zimmer entschuldigen will, sie dann aber belästigt, bis sie sich ihm entzieht und später sogar zu ihrer Freundin, Fräulein Montag, ans andere Ende des Korridors zieht. Welles macht aus dieser selbständigen Berufstätigen eine beschwipste Halbweltdame, die nachts in gewissen Etablissements arbeitet und erst in der Frühe heimkehrt. Sie lässt K. in ihr Zimmer und sich von ihm küssen, aber wirft ihn laut schreiend hinaus, als er von der Polizei spricht, die ihn verhaftet habe, was sie irritiert, denn Politik und Polizei sind rote Tücher für sie.

Unter den vielen Veränderungen, die Welles vornimmt, ist die Begegnung K.s mit dem Advokaten in der Kirche hervorzuheben, nachdem er kurz zuvor dem Geistlichen begegnet ist. Welles benutzt diese kafkaferne Vorstellung, den kranken Anwalt aufstehen zu lassen, um gleichsam selber das letzte Wort zu behalten, K. die Parabel vom Türhüter in Kurzform zu erzählen und ihm mitzuteilen, dass sein Prozess verloren ist. Von den Polizisten wird K. anschließend in eine ferne Grube verbracht, wo sie ihn, der sie hysterisch auslacht, mit Dynamit in die Luft sprengen, wobei K. in letzter Sekunde das entzündete Sprengstoffpaket ergriffen und fortgeworfen zu haben scheint. Dennoch ereignen sich an die fünf Explosionen, und der aufsteigende Rauch erinnert sehr an die Rauchpilze atomarer Versuche. Auch hier wird wie in anderen ähnlich gegenwartsbezogenen Sequenzen die Handlung in zeitaktualisierender Weise präsentiert. Als Fazit des Vergleichs von Vorlage und Verfilmung ergibt sich eine deutliche

»Nichtvereinbarkeit« der Positionen von Kafka und Welles, deren Widerspruch »unauflöslich« zu sein scheint (Eigen, 186 f.).

Die Verfilmung von David Jones folgt Kafkas Roman sehr textnah, wobei handwerkliche Sorgfalt und eine weitgehend kongeniale Umsetzung vom Respekt gegenüber der literarischen Vorlage zeugen. Der Konzeption nach zeigt Jones Josef K. nicht als Kollaborateur der Gesellschaft wie Welles, sondern wie bei Kafka den Konflikt zwischen der Hauptgestalt und der Gegenwelt. Statt expressionistisch überhöhter Visionen wird eine Gegenwelt des Alltäglichen, der gewöhnlichen Verhältnisse vorgestellt. Die Eingangssequenz bietet den erwachenden Morgen in der Stadt, morgendlichen Fußverkehr und eine Kamerabewegung hin zu K.s Fenster auf den Schlafenden zu, um die anonyme Beobachtungsperspektive gleich deutlich zu machen. Wie im Roman findet sich K., noch im Bett, dem beobachtenden Blick von gegenüber ausgesetzt, zuerst eine alte Frau, dann gesellt sich ein Greis dazu, später sogar ein jüngerer Mann, der hinter beiden steht, und wie bei Kafka ist der K. von Jones ungehalten und irritiert, sogar aufgebracht über diese penetrante Zuschauerschaft, die er einmal mit wütender Geste und durch lauten Zuruf

63 *Überwacht: Josef K. und seine Nichte (O. Welles)*
64 *Der soziale Blick: Josef K. und die »Gesellschaft« von gegenüber (D. Jones)*

179

von diesem Starren abbringen will. Kafka verwendet für diese drei Leute zweimal den Begriff »Gesellschaft«, womit er den sozialen Aspekt, die Vertretungsfunktion der drei anzeigt. Sie repräsentieren den sozialen, den überwachenden Blick (Beicken [2]1999, 166 ff.). Kafka hat von vornherein den Antagonismus zwischen K. und seiner Umwelt/Gegenwelt beziehungsreich inszeniert, denn der Blick hinüber wird im Verhaftungskapitel neunmal erwähnt, sodass im filmischen Sinn eine Parallelaktion zustande kommt. Jones folgt diesem Aspekt durch das Montageprinzip und macht wie bei Kafka deutlich, dass die drei zusammen, die zwei Alten und der Jüngere, eine Einheit, die der Familie, ergeben. Elternpaar und Sohnesfigur vervollständigen die Familienikone, eine Konfiguration, die bei Welles aufgrund seiner sehr einseitigen Kafka-Umdeutung völlig fehlt. Jones dagegen hat Kafkas literarische Parallelaktion richtig erfasst und in eine bedeutungsvolle Aussage zum Konflikt zwischen K. und der Gegenwelt verwandelt.

Die zentrale Bedeutung der Familienikone wird in Kafkas Werk ziemlich offensichtlich, wenn K. die außerhalb seiner Lebenswelt liegende Gerichtswelt in Erfahrung bringt, wo ebenfalls das Familiäre eine große Rolle spielt, vorwiegend als gestörte Familienverhältnisse, etwa der Gerichtsdiener und seine untreue Frau, aber K. wird fortwährend mit Beziehungen konfrontiert, in denen Frauen sich höher gestellten Männern, Beamten hingeben bzw. von ihnen abhängig gehalten werden. Zudem spielt in diesen Beziehungen das Erotische, die sexuelle Hörigkeit und Ausbeutung eine entscheidende Rolle, etwa wie der Student Bertold die Frau des Gerichtsdieners beherrscht und sie gleichzeitig ihrem Dienst am Untersuchungsrichter zuträgt wie ein Zuhälter. Schon bei seiner Protestrede in der ersten Untersuchung war K. von Bertold und der Frau unterbrochen worden, als dieses Paar, mit Billigung des zusehenden Publikums in einer Saalecke sich vereinigte. Auf überdeutliche, ihm anstößig erscheinende Weise wird

K. heterosexuelles Verhalten als gesellschaftlich akzeptierte Norm theaterhaft vorgeführt. Die Gegenwelt ist patriarchalisch organisiert, eine Hierarchie, in der Frauen in die traditionellen Rollen der Geliebten, Mutter und Hausfrau eingeschlossen sind.

Kafka hat seine Konzeption der Gegenweltkonfrontation auch im Schlusskapitel »Ende«, das gleich nach dem Anfangskapitel geschrieben worden war, realisiert. Der auf seine Abführung durch die Henker wartende Josef K. sieht ein letztes Mal aus dem Fenster auf jene Gegenseite, von wo ein Jahr vorher der soziale Blick in der Figur der Alten ihn bei seiner Verhaftung traf. Jetzt ist die andere Straßenseite weitgehend dunkel bis auf ein Fenster, wo zwei kleine Kinder hinter einem Gitter miteinander spielen und mit den Händchen nacheinander tasten, noch unfähig, sich von ihren Plätzen fortzubewegen. Versteht man Anfang und Ende des Romans als Klammer, so ist die Stelle der Familienikone jetzt besetzt von dem ›Nachwuchs‹, der K. an sein Nichterfüllen dieser gesellschaftlichen Erwartung erinnert, der Verpflichtung, für Nachkommenschaft zu sorgen, nicht Genüge geleistet zu haben. Auf jeden Fall stehen die Kinder als Sinnbild für das junge Leben, während K. dem Tod zugeht. Die Gegenweltkonfrontation und ihre aus dem Gesamtkontext klare Bedeutung von K.s Konflikt mit der patriarchalischen heterosexuellen Familienwelt ist leicht erkennbar.

Volker Schlöndorffs Verfilmung von Max Frischs *Homo faber* (1957) unter dem gleichnamigen Titel (1991) wird exemplarisch beschrieben und analysiert von Gudrun Marci-Boehnke (1995). Frischs Buch war ein Bericht in »zwei Stationen«, der sich konzentrierte auf Walter Fabers Vergangenheit, seine menschlichen Verfehlungen, seine Schuld (er hat, ohne es zu wissen, eine Beziehung zur eigenen Tochter bis zu ihrem Unfalltod unterhalten).

Dem üblichen Analyseschema folgend bietet Marci-Boehnke zunächst einen kommentierten Sequenzplan, etwa:

Nummerierter Sequenzinhalt (insgesamt 46):
1. Vorspann: Besetzung etc. Text auf schwarzem Grund.
Ton: Geräusch von startendem Motor.
Kommentar:
Der Film beginnt auf der Tonspur mit der Rekonstruktion
der Erinnerung. Die Bildspur als Beginn der bildlichen
Erinnerung Fabers setzt verzögert ein.
Dann wird die dominante ästhetische Struktur beschrieben. Bei Frisch ist Faber ein Schweizer Ingenieur, der seine
Studentenliebe Hanna im Stich lässt, als sie ein Kind von
ihm erwartet. Statt abzutreiben behält sie das Mädchen
(Sabeth), in das sich Faber als reifer Mann auf einer Schiffs-
reise von New York nach Frankreich verliebt. Auf ihrer
Reise weiter nach Athen zu Hanna stirbt Sabeth durch
einen Unfall. Faber muss sich seiner ehemaligen Geliebten
gegenüber zu seinem Inzest bekennen. Selber krank (Ma-
genkrebs) fliegt Faber weiter auf Montage nach Venezuela.
Er kommt zu einem neuen Selbstverständnis, gibt sein
technisch-wissenschaftliches Überlegenheitsgehabe auf
und erkennt seine Schuld. Der Bericht bricht ab, als er
wegen seiner (unheilbaren) Krankheit operiert wird.
Schlöndorff hat die ganze zweite Station weggelassen und
sich vor allem auf die Liebe zwischen dem Mädchen und
ihrem Vater konzentriert, wobei das Geschehen als schon
vergangenes in der Erinnerung ›durchgearbeitet‹ wird.
»Die verschiedenen Erinnerungs- und Zeitstufen macht
er durch unterschiedliche Filmtechniken und -färbungen
deutlich: Schwarzweiß (= farblos) für die Eingangssequenz, Pastell für die Erinnerungen an Fabers und Hannas
Jugend, ›Schmalfilm‹ für die dokumentierten Erinnerungen an Sabeth, Zeitlupe für traumatische Imaginationen
und Reminiszenzen, die Faber sich höchstens rekonstru-
iert haben, aber aus der gezeigten Perspektive nicht als tat-
sächliche Erinnerungen besitzen kann (Absturz des Flug-
zeugs, Sturz Sabeths), aber auch für Momente absoluten
Glücks (Autofahrt durch Frankreichs Sonnenblumenfel-
der)« (Marci-Boehnke, 44).

Zu den Detailanalysen gehört die der Inszenierung einer Erinnerung in der 15. Sequenz. Sie handelt von der Suche nach Joachim Henke, den Faber und Herbert, Joachims Bruder, in seiner Hütte aufgehängt finden. Vier filmsprachliche Mittel stehen dabei im Vordergrund:

»a) Mise-en-scène (mit der u. a. über die Anordnung von Figuren im Raum und über die Symbolebene Bedeutung transferiert wird),

b) Einstellungsgrößen/Kameraperspektiven (die die Qualität der Haupthandlung als subjektive, von Faber erinnerte Vergangenheit deutlich machen),

c) Bildmontage (wo durch die Verwendung anderer ›Filmqualitäten‹ Zeitsprünge und Reminiszenzen verdeutlicht werden),

d) Ton-/Musikmischung (bei der insbesondere der Wechsel zwischen aktuellem und kommentierendem Ton die verschiedenen Zeit- und Bewußtseinsebenen ästhetisch gestaltet« (Marci-Boehnke, 45).

Wichtig an dieser Sequenz ist die Verschränkung der erinnerten Gegenwartsebene, das Auffinden des erhängten Joachim und Fabers rückerinnerte Vergangenheit, seine Beziehung zu Hanna, ihre Schwangerschaft, Joachims Gespräch mit Faber: sein Dafürhalten, das Ungeborene solle abgetrieben werden, Joachims Nichtreaktion, Joachim und Hanna beim Tanz, Rückkehr zum aufgebahrten Joachim. Tod und Leben sind hier Hauptthemen. Das Baby als neues Leben, das Faber nicht annehmen will, der ›Tod‹ seiner Liebe (Hanna wendet sich von ihm ab), mit dem Anblick des toten Joachim wird die Vergangenheit und sein Ungenügen in Faber lebendig. Das Vergangene ist nicht einfach tot, sondern lebt in seinem Schuldbewusstsein weiter.

Produktions- und Rezeptionsanalyse beschäftigen sich mit Schlöndorffs Entscheidung für Frischs Werk, diesen Stoff und seine Vorgabe, die besonders cineastisch Orientierte zu interessieren versprachen. Die Kritik schrieb von der »Bauchlandung eines Machers«, betonte also die Fertigkeiten des Regisseurs, aber bemängelte seine Einfallslosigkeit im Hinblick auf einen größeren Wurf. Hinzu kam, dass Schlöndorff die Erwartungshaltungen, eine gehobene Literaturverfilmung, etwas dem Werk Frischs Gleichwertiges zu liefern, ziemlich enttäuschte.

Der Vergleich von Buch und Film zeigt, dass Frischs Zeitambiente im Film kaum realisiert wurde. »Was die Rezeption des Films problematisch macht, ist die Tatsache, daß z. B. die Figur des Faber nicht mehr der des Buches entspricht: Hier hat Schlöndorff modernisiert. Zur Diskussion stehen könnte, ob es ihm mit dieser Mischung aus Altem und Modernisiertem gelungen ist, dem Stoff eine zeitlose Aktualität zu verleihen« (Marci-Boehnke, 51). Einzelunterschiede sind folgende:

1. Der zweite Teil des Buches (Station II) ist inhaltlich im Film nicht umgesetzt.

2. Die Erzählstrukturen von Roman und Film sind nicht identisch.

3. Der Film modifiziert die Erzählperspektive. Der im Buch ständig widersprüchlich kommentierende Faber, dessen Aussagen heute oft antiquiert oder arrogant anmuten, vor allem seine sexistischen Ausfälle, ist im Film vorwiegend bildlich präsent, was dem Zuschauer eine objektivere Sicht erlaubt.

4. Im Film erfolgt keine kritische Auseinandersetzung mit der Technologiefaszination, die Faber zeittypisch für die fünfziger Jahre vertritt. »Die Entwicklung der Liebesgeschichte erlangt bei Schlöndorff größeres Gewicht als die Inszenierung eines scheiternden Technokraten.«

5. Die philosophische Ebene wird im Film nicht umgesetzt. Fabers Hobby-Gerede über Wahrscheinlichkeit, Fügung, Schicksal wird dem Zuschauer erlassen. Interessanter ist die Wirkung der Bilder mythologischer Figuren, die Fabers Beziehung zu Mächten jenseits seines Technikverständnisses visualisieren, etwa Aphrodite als Erotiksymbol oder Erinnye als Schicksalsfigur.

6. Die Zeichnung der Figuren unterscheidet sich von der

des Buches. Faber ist im Film Amerikaner, nicht Schweizer. Sabeth wirkt selbständiger und lebenserfahrener (auch im Erotischen). Hanna ist nicht mehr so ›hennenhaft‹, sie ist hier »die Mutter, die den Vater dafür bestraft, daß er unbewußt keine Verantwortung für das gemeinsame Kind« hat übernehmen wollen.

7. Schlöndorff erinnert nicht dauernd daran, daß Sabeth Fabers Tochter ist. Der schuldbeladene Vater im Buch weicht einer Figur, die sich weniger als dieser in der Midlife-Crisis befindet.

8. Eine Auseinandersetzung mit stereotypen Bildern von Nationen findet im Film nicht mehr statt. Dadurch dass Faber jetzt Amerikaner ist, entfallen die stereotypen Attacken auf den »American way of life«. Die Südamerikaner, im Buch als unkultivierte Wilde abgetan, erscheinen im Film als die ethnisch anderen »mit einem Hauch von Exotismus«. Insgesamt ist Fabers Herablassung gemildert.

9. Faber ist nicht todkrank, er bleibt am Leben. Im Film konsultiert Faber keinen Arzt, erfolgt keine Krankheitsdiagnose. Statt mit dem Tod wird Faber jetzt mit dem Leben bestraft. Er kann seiner Verantwortung, seiner Schuld nicht entkommen. Das ist auch für den Zuschauer

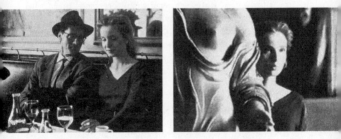

65 Vater Faber (Sam Shepard) und Tochter-Geliebte Sabeth (Julie Delpy) in »Homo faber«
66 Verborgene Wünsche, heimlicher Blick: Sabeth im Louvre

wichtig, der sich gleichfalls den Problemen und Konflikten stellen muss.

Didaktische Hinweise

1. Frischs *Homo faber* ist eine kritische Auseinandersetzung mit der Figur des technischen Menschen, seinem einseitigen Weltbild, das Metaphysik, Religion und Mythos für unerheblich erachtet, und seinen Unzulänglichkeiten im Zwischenmenschlichen, Verfehlungen in der Liebe, Unkenntnis des eigenen Selbst, Beziehungslosigkeit. Der Film, auch als Road Movie angesehen, übernimmt vom Buch die Selbstsuche, die Reise zum eigenen Ich, beschränkt sich aber auf die Liebesgeschichte und stellt damit Frischs Thematik der Geschlechterrollen in den Vordergrund.

Ein erster Studienaspekt wäre der Buch-Film-Vergleich, inhaltlich, formal, strukturell, wobei thematisch die Geschlechterproblematik, formal die Gestaltungsmittel und strukturell die Erzählweise zu betonen wäre.

Der zweite Studienaspekt soll die Wahrnehmung filmsprachlicher Gestaltung (Erzählmittel und Filmstil) schulen, was weniger inhaltlich als vielmehr strukturorientiert das Sprachliche und die Bauformen des Erzählens bzw. der filmischen Repräsentierung zu erfassen sucht. Im Mittelpunkt steht die jeweils verschiedene Gestaltung von Fabers Erinnerungen, wie Vorausdeutungen und Rückblenden im Text bzw. im Film eingesetzt werden. Hilfreich dabei ist die Szenographie des Textes zum Vergleich mit dem Sequenzenplan des Films (Marci-Boehnke, 57).

2. Bei dem Thema Geschlechterrollen und Erzählperspektive sollten zunächst spontane Rezeptionseindrücke als Ausgangspunkt dienen. Marci-Boehnke schlägt ein Polaritätsprofil vor, das zwölf Eigenschaftspaare aufweist mit einer Bewertungsskala zur quantitativen Erfassung der Wahrnehmungseindrücke: »freundlich – unfreundlich; hart – weich; klein – groß; empfindlich – unempfindlich;

grob – zärtlich« usw., was dann von den Beteiligten ausgewertet werden kann (vgl. Marci-Boehnke, 1997).

Zusätzlich lässt sich jeder Figur ein »Steckbrief« ausstellen mit Name/Geschlecht, Beruf, Alter, besondere Interessen, charakteristische Merkmale, Beziehung zur Hauptgestalt, Beziehung zu anderen Figuren, Wertung dieser Person durch die Hauptfigur, Motive und Symbole, die mit dieser Figur assoziiert sind. Diese Steckbriefe können in der gemeinsamen Diskussion ergänzt, modifiziert werden.

Bei der Erzählstruktur ergibt sich, dass anders als im Buch Faber im Film nicht in konsequenter Ich-Perspektive gezeigt wird, obwohl er auch hier der alleinige Erinnerungsträger ist. Es gibt aber auch Einstellungen, die Faber gar nicht gesehen, höchstens imaginiert haben kann, etwa wie Sabeth Faber versteckt im Louvre betrachtet und ihm heimlich in die Tuilerien folgt. Diese Verlagerung der Erzählperspektive lässt Sabeth im Film selbständiger und aktiver erscheinen, während andererseits Faber, der im Buch ständig kommentiert, sich entschuldigt oder Dinge bemängelt, im Film weniger aus dem Off spricht und auch nicht so unsympathisch, herablassend wirkt.

Das Filmsprachliche besser zu erkennen lernen bedeutet, die spezifisch filmischen Gestaltungsmittel und -ebenen genauer zu erfassen. Also beim Bild vor allem Einstellungsgröße (z. B. nah, groß, Detail usw., Perspektive/Kamerawinkel, Achsenverhältnisse, Licht- und Farbgebung); beim Ton vor allem Originalton (aktueller Ton), Musik mit sichtbarer Tonquelle (aktuell, diegetisch), unterlegte Musik, nicht-diegetische Musik (im Off untermalend, illustrierend, kommentierend). Marci-Boehnke schlägt vor, Einzelsequenzen vorzuführen, um die Aufmerksamkeit stärker auf die angewandten Filmmittel zu konzentrieren, während ein Vorspielen des gesamten Films leicht die Wahrnehmung einer Sequenz durch das Kontextwissen überdeterminieren kann. Die Einzelsequenz wird bewusster wahrgenommen, wenn der inhaltliche Zusammenhang aus der Gesamtkonzeption nicht gegeben ist. Sie schlägt folgende Lernschritte für die filmsprachliche Rezeption vor:

1. Anhören der Tonspur (Bild verhängen oder Monitor herumdrehen), um die Montage der Bild- und Tonfolgen durch Konzentration auf den Ton zu leiten und (ungefähre) Vorstellungen vom Handlungsgeschehen zu entwickeln, dass etwa bei der Sequenz 15 sich der Handlungsort im spanischsprachigen Ausland befindet, dass die Personen sowohl Spanisch als auch Deutsch reden, dass es eine Handlungszeit von mehreren Tagen gibt, dass zwei Männer nach Joachim suchen. Dasselbe kann mit der Isolierung des Bildes gemacht werden (Ton abschalten) zum Zweck einer partiellen Rekonstruktion des Inhaltlichen. Schließlich werden Ton und Bild zusammen rezipiert, um die Teile zu einem Ganzen zusammenzusetzen und mit erhöhter Einsicht die Sequenz in ihrer Eigenwertigkeit zu verstehen, bevor sie in die Bedeutungsstruktur des Films eingebaut wird.

Dabei kommt es darauf an, Sequenzenverklammerungen (*suture*) in ihrer Eigenart zu erkennen, z. B. die Rolle der Verkehrsmittel und das Fahren in der 15. und der vorausgehenden Sequenz: »Das Abstellen des Motors, das Zuschlagen der Türen zu Beginn der 15. Sequenz hat die Funktion, auf etwas Endgültiges vorauszuweisen. Der abgestellte Motor des Autos verweist auf einer metaphorischen Ebene auch auf Leblosigkeit« (Marci-Boehnke, 60). Dieses ›Tote‹ antizipiert den Toten (Joachim), den Herbert Henke und Walter Faber in der Hütte, vor der sie den Wagen abgestellt haben, auffinden.

Intensivere Erforschung des Filmsprachlichen erfordert detaillierte Bild- und Tonprotokolle als Bausteine eines Filmprotokolls und macht zugleich deutlich, dass »Filmsprache« und literarische »Sprache« verschieden sind, sowie dass die Analyse des Filmsprachlichen die verschiedenen Ebenen der Gestaltung in Korrelation setzen muss.

Die reine Filmanalyse wird eingebracht in den Buch-Film-Vergleich. Faber als Ich-Figur im Buch ist ein interpretierender, kommentierender Erzähler, der zum Zeitpunkt des Auffindens von Joachims Leichnam schon weiß, warum es zur Trennung von Hanna kam: »Ich hatte gesagt: Dein Kind, statt zu sagen: Unser Kind. Das war es, was mir Hanna nicht verzeihen konnte« (Marci-Boehnke, 61). Der Faber des Films ist erst noch auf der Suche nach dem Vergangenheitsverständnis, denn er hört erst später im Streitgespräch mit Hanna im Krankenhaus in Athen, also nach Sabeths Koma und Tod, von den Entscheidungsmomenten seiner Vergangenheit, die sein Leben verändert und seine tragische Verwicklung in den Tod seiner Tochter herbeigeführt haben. Schlöndorff arbeitet mit der beim (kommerziellen) Film zu erwartenden Spannung, während Frisch mehr erzählend-reflektierend seine Figur zu umfassender Erkenntnis hinführt. Die ganze zweite Station, im Film ausgelassen, stellt eine Intensivierung nicht nur von Fabers Einsicht, sondern auch seines Versuchs der Veränderung dar. Seine *navigatio vitae*, seine Lebensreise, beschleunigt sich durch Trauerarbeit hin zu größerer Selbsterkenntnis, aber auch zum dieses scheiternde Leben beschließenden Tod.

Noch zu erwähnen bei dieser vorbildlichen Verfilmungsanalyse Marci-Boehnkes sind die beigefügten Materialien, Filmtranskripte zweier Sequenzen (15, 43), Filmbilder (Seq. 43) und zwei recht negative Kritiken des Films, die Schlöndorff mangelndes Wagnis (Jansen) bzw. glatte Oberfläche (Böttiger) ankreiden. Es sind ziemlich harte Verrisse, die sich nur am Rande auf Schlöndorffs Filmarbeit, seine andere Konzeption und Mittel der Gestaltung einlassen (Marci-Boehnke, M10f.). Soll Verfilmung nicht allein als bloße Bebilderung genossen und verstanden werden, so ist eine ernsthaftere Auseinandersetzung mit ihrer Filmform angebracht.

9. Fachbegriffe (Auswahl)

Abspann (auch **Nachspann**): Liste mit Namen der Mitwirkenden, Techniker und Produktionsdaten am Ende eines Films, im Gegensatz zum **Vorspann**, der zu Beginn meist Titel, Hauptschauspieler und Verleih nennt.

Abstrakter Film, absoluter Film: Nichtnarrative Filmformen, die vorwiegend Nichtgegenständliches abbilden und meist rhythmisch strukturieren. Verwendung in der frühen Film-Avantgarde (20er-Jahre), das französische *cinéma pur;* im deutschen Film sind u. a. Hans Richter, Walter Ruttmann Vertreter dieser Richtung. Die Traumsequenz in *Metropolis* montiert allegorische Bildgegenstände (der Tod als Sensenmann) und abstrakte Kreisbildformen.

Actionfilm: Handlung ist seit Anbeginn dem Film eigen, etwa die Verfolgungsjagden im Kino der Attraktionen als Steigerung des Schauwertes und des Erlebnishungers der Zuschauer. Der moderne Actionfilm intensiviert den Ereignisreichtum, eine handlungsstarke Sequenz jagt die andere, wie die publikumswirksamen James-Bond-Filme beweisen. *Action* verspricht ungehemmte Dynamik, spektakuläre Technik, Stunts, hochgetriebene Spannung und physische Extreme.

Ausstattung (*set, design*): umfasst Bauten, Dekoration, Kostüme, Requisiten. Ausstattung gehört oft zur besonderen Signatur eines Films, etwa das expressionistische Dekor in *Caligari*.

Auteur, Autorenfilmer: Die in den *Cahiers du Cinéma* entwickelte *politique des auteurs*, wonach der Regisseur als Autor (*auteur*) eines Films gilt aufgrund seines persönlichen Stils, der trotz Thema, Studio und Produktionsbedingungen dem fertigen Werk eine individuelle künstlerische Signatur verleiht.

Avantgarde: Seit den frühen 20er-Jahren existiert der avantgardistische Film unter Verwendung von Elementen des abstrakten Films, des Expressionismus und Sergej Eisensteins Montage als betont künstlerisches Produkt, kompromisslos, experimentell und eigenwillig in Form, Struktur, Bildwelt und Intention. Als Gegenpol zum kommerziellen Kino formieren sich seit den 50er-Jahren *underground cinema* und *independent cinema* ideologiekritisch und freiheitsbetont als »Anti-Kunst«, oft oberflächlich mit Drogen und Sex in Verbindung gebracht.

Bergfilm: Filmgenre im deutschen Film der 20er- und 30er-Jahre mit der Alpenwelt als grandioser Kulisse für Darstellung konfliktreicher Beziehungen (Arnold Fanck, Leni Riefenstahl und Luis Trenker).

Besetzung (*cast*): Verteilung der Rollen im Spielfilm an Haupt- und Nebendarsteller. Aufgrund von persönlicher Ausstrahlung, Vermarktung, Imagepflege und Fanverehrung kam es zum Starkult (*celebrity*-Faktor). Im Kontrast dazu stehen Laienschauspieler, während Komparsen (*extras*) bei der Massendarstellung eingesetzt werden.

Bild: zentraler Begriff für den Film, sowohl als Einzel- oder Phasenbild (Bildkader) als auch als kompositorische Einheit und als optischer Eindruck (*image*).

Blende, Abblende (*fade out*): Dunkelwerden des Filmbildes bis zum Schwarz im Gegensatz zur **Aufblende** (*fade in*). *Überblendung* (*dissolve*): Bei der Kombination zweier Szenen wird durch *Ab-* und *Aufblende* ein gleitender Übergang geschaffen. Die *Irisblende* verdunkelt (blendet aus) oder erhellt das Bild (blendet ein) kreisförmig (*Das Cabinet des Dr. Caligari*); bei der **Wischblende** verdrängt das neue Bild diagonal das vorhergehende. Die Blenden sind Mittel der Filmsyntax zur filmdramaturgischen Strukturierung.

Camera obscura: dunkler Raum bzw. Kasten mit einer Lochblende oder Sammellinse zur seitenverkehrten und kopfstehenden Abbildung von Gegenständen. Vorläufer der fotografischen Kamera und seit der Renaissance von Malern zu Studienzwecken verwendet.

Chiaroscuro: Hell-und-Dunkel-Effekte zuerst im malerischen Bildstil, dann auf das Filmbild übertragen. Beliebtes filmästhetisches Mittel des expressionistischen Films.

Cinéma vérité: zunächst Stil des wirklichkeitsnahen Dokumentarfilms, im amerikanischen *direct cinema* weiterentwickelt.

Differenz der Geschlechter: Im Gefolge des Strukturalismus bildete sich die feministische Filmkritik heraus, die besonders das Verhältnis der Geschlechter, aber auch die geschlechterbedingten Aspekte des Films untersuchte.

Distanzierung: Der V-Effekt (Verfremdung) von Bertolt Brechts epischem Theater diente vor allem Rainer Werner Fassbinder als Modell für seine Methode der visuellen Distanzierung. Mittel sind dabei u. a. lange Einstellungen und auch die Einrahmung der Figuren als Gefangene ihrer Welt, etwa in *Angst essen Seele auf* (1973).

Drehbuch *(screenplay)*: Vorlage des Films. Das *Exposé* dient der Skizzierung der Hauptideen, der wichtigsten Handlungsmomente und Aspekte der Handlungsführung. Im *Treatment* kommt die Handlung gegliedert zur Ausführung, jedoch noch ohne detaillierte Szenenfolge. Das *Szenarium* gibt die filmgerechte Einteilung in Szenen und den gesamten ausgeführten Handlungsablauf mit genauen Darstellungsanweisungen und Dialogen und auch Hinweisen auf Kameraarbeit und Bauten *(sets)*. Das eigentliche *Drehbuch* (Regiebuch, *final shooting script*) teilt die Handlungsabläufe und Dialoge den Sequenzen nach auf. Im *Story Board* (besonders bei Trickfilmen) werden die einzelnen Einstellungen zeichnerisch skizziert.

Drehort: Aufnahmeort; Außenaufnahmen werden an Originalschauplätzen *(locations)* gedreht, z. B. im Freien im Unterschied zur Atelier- oder Studioaufnahme.

Einstellung *(shot)*: kleinste Einheit der Filmerzählung, gewöhnlich eine Abfolge von Phasenbildern (oder auch nur ein einziges Phasenbild) ohne Wechsel von Einstellungsgröße oder Kameraperspektive. Vom Bildinhalt her zu erwähnen ist der *two shot* (zwei Personen gleichzeitig im Bild); filmdramaturgisch wichtig sind die überblickshafte Eröffnungseinstellung am Anfang eines Films (*establishing shot*) und zu Beginn einer Sequenz die meist total oder halbtotal gefilmte Einstellung (*master shot*). Der einheitliche Kamerablick einer kontinuierlichen Einstellung bildet die Plansequenz.

Einstellungsgröße: ausgewählter Bildausschnitt, vom weitesten zum engsten: *Panorama-Einstellung* (eine ganze Landschaft), *Totale, Halbtotale* (Person/Gruppe in ihrem Umfeld), *halbnah* (eine Person in voller Größe), *amerikanisch* (Kopf bis zum Knie), *nah* (Kopf bis zur Hüfte), *Großaufnahme* (Kopf), *Detail* (Augenpartie, Mund).

Exzess: bezeichnet allgemein ein Übermaß, eine Überdeterminiertheit in der Inszenierung etwa im Darstellungsstil der Stars. Neben dieser Überfrachtung des Stils steht in konservativen Zeiten Exzess als Methode des Subversiven, wenn der Film gezwungen war, wegen der politischen oder sexuellen Zensur allzu direkte Aussagen zu vermeiden. Aber Aussagen werden sichtbar durch Übertreibung etwa in Hollywoods *film noir* und Melodrama.

Genre: Gruppe von Filmen mit thematischen, formalen und stilistischen Gemeinsamkeiten, die als Muster fungieren, z. B. »Schwarze Serie« (*film noir*), Gangsterfilm, Horrorfilm, Melodrama, Musical, Western u. a.

Kamera-Standpunkt *(camera angle)*: Kameraperspektive auf ein Sujet hin, etwa der ›normale‹ *Standpunkt* (Augenhöhe), *von oben* (Vogelperspektive, Aufsicht), *von unten* (Froschperspektive, Untersicht).

Kamerabewegung: drei Hauptbewegungen um die Bildachsen: *waagerecht* oder *Schwenk (pan), senkrecht* oder

Neigung (tilt), **Querachse** oder **Rollen** *(roll).* Schnelles Schwenken führt zum **Reiss-Schwenk** (Wischer), der oft unscharf bleibt. Der frühen stationären Kamera folgte die bewegliche Kamera mit Kamerafahrten auf einem Wagen *(dolly),* auf Schienen *(tracking shot),* auf einem Kran.

Kommentar *(narration):* begleitender Text vor allem im Dokumentarfilm; oft im Off (als *voice-over*) gesprochen.

Lichtführung: Gegenüber dem natürlichen Licht im Freien sind Innenaufnahmen oft kompliziert ausgeleuchtet, über die verfügbaren Lichtquellen einer Szene hinaus, die durch Zusatzscheinwerfer verstärkt werden. Die im deutschen expressionistischen Film beliebten Hell-Dunkel-Effekte mit dramatischen Schatten sind besonders von Hollywoods »Schwarzer Serie« *(film noir),* Gangster- und Horrorfilmen übernommen worden.

Malteserkreuz: Vorrichtung zum ruckweisen Transport des Filmstreifens, als Erfindung Oskar Messter (1866–1943) zugeschrieben. Wim Wenders *(Im Lauf der Zeit,* 1976) erhebt das Kreuz zum Symbol der Verbindung von Technik und Kunst, Bewegung und Schaulust.

Mise-en-scène: filmische Inszenierung, begrifflich dem Theater entlehnt. Umfasst die Regiearbeit des Metteur-en-scène: die Führung der Schauspieler, Lichtführung, Dekor, Kameraanordnung zur filmischen Bildkomposition.

Montage: erstens das (filmtechnische) Verfahren, verschiedene Einstellungen durch Aneinanderschnitt zu Sequenzen zu verbinden. Die elliptische Montage lässt dabei unwichtige Abschnitte einer Handlung aus und reduziert die Narration auf die wesentlichen Entwicklungsschritte. Zweitens ein künstlerisches Verfahren, vor allem von Eisenstein propagiert, eine besondere ästhetische Wirkung durch Gegenüberstellung von kontrastierenden Bildinhalten (»Dialektik der Attraktionen«) zu erzielen.

Papas Kino: Begriff der deutschen Jungfilmer im Oberhausener Manifest (1962), der Prägung ›Cinéma du Papa‹

von François Truffaut entlehnt, mit der er als Vertreter der Neuen Welle (Nouvelle Vague) gegen das Filmestablishment polemisierte.

Parallelmontage: Durch alternierendes Schneiden (Kreuzschnitt) werden zwei gleichzeitige Handlungsstränge miteinander verbunden, parallelisiert. Ein frühes Beispiel aus dem *Cabinet des Dr. Caligari*: Franzis wacht vor dem Wohnwagen Caligaris, den er des Mordens verdächtigt, während der Schlafwandler Cesare Dr. Olfens schlafende Tochter Jane überfällt und entführt.

Programmkino: Diese »kommunale« Kinobewegung der 70er-Jahre basiert auf früheren Filmkunst-Kinos (und Filmklubs) und ist vor allem dem künstlerischen und nichtkommerziellen Film gewidmet.

Raumdarstellung: Der filmische Raum lässt sich unterscheiden in einen sichtbaren, narrativen, psychologischen, soziologischen und symbolischen. Der visuelle Raum wird von der Mise-en-scène bestimmt, der narrative von der Erzählstruktur, der psychologische von der in der Interaktion aufscheinenden Psychodynamik, der soziologische von gesellschaftlichen Faktoren und der symbolische von den bildlich verweisenden Bedeutungsträgern, die einen besonderen Symbolbereich andeuten.

Regisseur: verantwortlich für die filmische Realisierung des Drehbuchs, entweder als bloßer Inszenator (Metteuren-scène), der als ein spezialisierter Ausführender die Aufnahme leitet, oder als Auteur, Autorenfilmer, der als Filmemacher seine besonderen künstlerischen Vorstellungen zu realisieren sucht, oft auch das Drehbuch selbst verfasst.

Remake: Neuverfilmung eines schon verfilmten Stoffes als künstlerische Hommage (F. W. Murnau: *Nosferatu – Eine Symphonie des Grauens*, 1922; Werner Herzog: *Nosferatu – Phantom der Nacht*, 1979) oder oft aus wirtschaftlichen Gründen (Wim Wenders: *Der Himmel über Berlin*, 1987; Brad Silberling: *City of Angels – Stadt der Engel*, 1998).

Schnitt (*cut*): Ein Cutter schneidet jede Einstellung auf die gewünschte Länge und fügt diese Partikel zu Sequenzen, zum ganzen Film zusammen. Die Anordnung der Teile zum Ganzen ist eine filmästhetische Montage, wobei schnelle und harte Schnitte (*jumpcuts*) einen eigenen, dynamischen Rhythmus schaffen. Kontinuität wird im klassischen Erzählkino erreicht durch eine Schnittmethode (Hollywoods *continuity editing*), die durch unauffällige Übergänge die Schnitte unsichtbar macht und eine fließende Narration erzielt (*coupage classique*).

Schuss-Gegenschuss-Verfahren (*over-the-shoulder / shot-counter shot* oder *reverse angle*), auch Achsensprung (*180 degree rule*): Zwei einander gegenüberstehende Personen erscheinen (vor allem in Dialogszenen) alternierend im Bild, wobei die Kamera jeweils auf einer Seite einer vorgestellten Achse aufnimmt (vgl. Abb. 13).

Sequenzplan: Inhaltsangabe, oft mit Zeitangaben (nach Sequenzen strukturiert und kommentiert); gibt Übersicht, zeigt die Handlungsfolge, die oft nicht identisch ist mit Plot und eigentlicher Handlungsstruktur aufgrund von ummontierter Chronologie.

Standfoto (*still*): speziell bei den Dreharbeiten hergestellte Fotografie zu Werbezwecken.

Subjektive Kamera (*point of view shot* oder *pov*): aus der Sicht einer Figur gefilmt, Identifikationsangebot an den Zuschauer. Extreme Subjektivität entfaltete F. W. Murnau in der Traumsequenz des betrunkenen Portiers mit der entfesselten Kamera zur Darstellung der inneren Problematik dieser Figur in *Der letzte Mann* (1924).

Verfilmung: Zur Vorlage dienen literarische Werke.

Zeitlupe (*slow motion*): durch Überdrehung aufgenommene Abfolge, die bei der Projektion die Bewegungen im Bild verlangsamt, gedehnte Zeit, während im **Zeitraffer** (*fast motion*) der Effekt von Beschleunigung und Zeitverkürzung entsteht. Über lange Perioden gefilmte Einzelbilder ergeben **Zeitsprung**-Effekte (*time-lapse*), wenn

z. B. Entwicklungen von Stunden auf Sekunden reduziert werden.

Zwischentitel: in die Filmhandlung eingeschnittener Schrifttitel; Zwischentitel dienten besonders beim Stummfilm zur Wiedergabe der Dialoge und Handlungserläuterung.

Literaturverzeichnis

Adam, Gerhard: Literaturverfilmungen. München 1984.

Albersmeier, Franz Josef (Hrsg.): Texte zur Theorie des Films. Stuttgart ³1998. (RUB. 9943.)

– / Volker Roloff (Hrsg.): Literaturverfilmungen. Frankfurt a. M. 1988. (st. 2003.)

Albrecht, Donald: Architektur im Film. Die Moderne als große Illusion. Basel [u. a.] 1989.

Arnheim, Rudolf: Film als Kunst. Frankfurt a. M. 1979. (Fischer TB. 3656; zuerst Hamburg 1932).

»Aufbruch aus der Frauenecke.« www.deutsches-filminstitut. de/f_films.htm

Augenzeugen. 100 Texte neuer deutscher Filmemacher. Hrsg. von Hans Helmut Prinzler und Eric Rentschler. Frankfurt a. M. 1988.

Balázs, Béla: Der Geist des Films. Frankfurt a. M. 2001. (stw. 1537.)

– Der sichtbare Mensch. Frankfurt a. M. 2001. (stw. 1536.)

Bazin, André: Was ist Kino? Bausteine zu einer Theorie des Films. Köln 1975. [Auszüge in Adam 1984, 24–27.]

Becker, Wolfgang / Norbert Schöll: Methoden und Praxis der Filmanalyse. Untersuchungen zum Spielfilm und seinen Interpretationen. Opladen 1983.

Beicken, Peter: Marlenes schwarze Lieblingspuppe oder Unrat im *Blauen Engel* am Morgen danach. In: Trans-Lit (SCALG) 7 (1998) 1. S. 11–22.

– Franz Kafka. *Der Process*. Interpretation. München ²1999.

– Faust in Film. The Case of Dr. Caligari. In: Armand Singer / Jürgen E. Schlunk (Hrsg.): Doctor Faustus: Archetypal Subtext at the Millennium. Morgantown (West Virginia) 1999. S. 43–67.

Beilenhoff, Wolfgang (Hrsg.): Poetik des Films. Deutsche Erstausgabe der filmtheoretischen Texte der russischen Formalisten mit einem Nachwort und Anmerkungen. München 1974.

Benjamin, Walter: Das Kunstwerk im Zeitalter seiner technischen Reproduzierbarkeit. Frankfurt a. M. 1963. (es. 28.)

Berger, John [u. a.]: Sehen. Das Bild der Welt in der Bilderwelt. Reinbek bei Hamburg 1974. (rororo. 6868.)

Berlin Alexanderplatz. Drehbuch von Alfred Döblin und Hans Wilhelm zu Phil Jutzis Film von 1931. München 1996.

Bleicher, Joan Kristin: Poetik eines narrativen Erkenntnissystems. Opladen/Wiesbaden 1999.

Blum, Heiko R. / Katharina Blum: Gesichter des neuen deutschen Films. Berlin 1997.

Blunk, Harry / Dirk Jungnickel (Hrsg.): Filmland DDR: Ein Reader zu Geschichte, Funktion und Wirkung der DEFA. Köln 1990.

Bock, Michael (Hrsg.): Cinegraph. Lexikon zum deutschsprachigen Film. München 1984 ff.

Böhme, Hartmut / Klaus R. Scherpe (Hrsg.): Literatur und Kulturwissenschaften. Positionen, Theorien, Modelle. Reinbek bei Hamburg 1996. (re. 575.)

Bordwell, David: Visual Style in Cinema. Vier Kapitel Filmgeschichte. Hrsg. von Andreas Rost. Frankfurt a. M. ⁵2001.

– / Kristin Thompson: Filmart. An Introduction. New York [u. a.] ⁵1997.

Brauerhoch, Annette: Die gute und die böse Mutter. Kino zwischen Melodrama und Horror. Marburg 1996.

Brecht, Bertolt: *Kuhle Wampe*. Protokoll des Films und Materialien. Hrsg. Wolfgang Gersch und Werner Hecht. Frankfurt a. M. 1969. (es. 362.)

Brennicke, Ilona / Joe Hembus: Klassiker des deutschen Stummfilms 1910–1930. München 1983.

Budd, Mike: *The Cabinet of Dr. Caligari*: Texts, Contexts, Histories. New Brunswick (New Jersey) 1990.

Cargnelli, Christian / Michael Omasta (Hrsg.): Schatten. Exil. Europäische Emigranten im Film noir. Wien 1997.

Cook, Pam / Mieke Bernink (Hrsg.): The Cinema Book. London ²1999.

Das Cabinet des Dr. Caligari. Hrsg. von Robert Fischer. Stuttgart 1985.

Das Cabinet des Dr. Caligari. Drehbuch von Carl Mayer und Hans Janowitz zu Robert Wienes Film von 1919/20. München 1995. (Filmtext edition text+kritik.)

Deleuze, Gilles: Das Bewegungs-Bild. Kino 1. Frankfurt a. M. 1997. (stw. 1288.)

Der deutsche Heimatfilm. Bildwelten und Weltbilder. Tübingen 1989. (Projektgruppe Deutscher Heimatfilm. Leitung: Wolfgang Kaschuba.)

Diederichs, Helmut H. (Hrsg.): *Der Student von Prag*. Einführung und Protokoll. Stuttgart 1985. (Drehbuch, illustriert.)

Doane, Mary Ann: Film und Maskerade. Zur Theorie des weiblichen Zuschauers. In: Frauen und Film 38 (1985) S. 4–19.

Donner, Wolf: Propaganda und Film im »Dritten Reich«. Berlin 1995.

Drummond, Phillip: Zwölf Uhr mittags. Mythos und Geschichte eines Filmklassikers. Hamburg/Wien 2000.

Eco, Umberto: Einführung in die Semiotik. München 1972. (UTB. 105.)

Eigen, Thomas: *Der Prozeß* (O. Welles). Eine Analyse zwischen Film und Literatur. In: H. Korte (Hrsg.): Systematische Filmanalyse in der Praxis. Braunschweig ²1987. S. 120–202.

Eisenstein, Sergej M.: Schriften. Hrsg. von Hans-Joachim Schlegel. 3 Bde. München 1973–75. (Reihe Hanser 158, 135, 184.)

Eisler, Hanns / Theodor W. Adorno: Komposition für den Film. München 1969. (New York 1947.)

Eisner, Lotte H.: Die dämonische Leinwand. Frankfurt a. M. 1975.

Elsaesser, Thomas: New German Cinema: A History. New Brunswick (New Jersey) 1989.

– Transparent Duplicities. The Three Penny Opera (1931). In: Eric Rentschler (Hrsg.): The Films of G. W. Pabst. New Brunswick / London 1990.

– Metropolis. Hamburg 2000(a).

– Weimar Cinema and After. Germany's Historical Imaginary. London / New York 2000(b).

– (Hrsg.): A Second Life. German Cinema's First Decades. Amsterdam 1996.

Engell, Lorenz: Sinn und Industrie. Einführung in die Filmgeschichte. Frankfurt a. M. / New York 1992.

– Bewegen beschreiben. Theorie zur Filmgeschichte. Weimar 1995.

Ernst, Gustav (Hrsg.): Sprache im Film. Wien 1994.

Expressionist Film. New Perspectives. Hrsg. von Dietrich Scheunemann. Rochester (New York) 2003.

Fassbinder, Rainer Werner. Hrsg. von Peter W. Jansen und Wolfram Schütte. Frankfurt a. M. 1992. (Fischer Cinema. 11318.)

Fassbinder, Rainer Werner: Filme befreien den Kopf. Hrsg. von Michael Töteberg. Frankfurt a. M. 1984. (Fischer Cinema. 3672.)

Faulstich, Werner: Einführung in die Filmanalyse. Tübingen ³1980.

– Die Filminterpretation. Göttingen 1988. (V & R. 1537.)

– Grundwissen Medien. München ²1995. (UTB. 1773.)

– Grundkurs Filmanalyse. München 2002. (UTB. 2341.)

– /Ingeborg Faulstich: Modelle der Filmanalyse. München 1977.

Feminismus und Film. Augen-Blick (1989). (Marburger Hefte zur Medienwissenschaft.)

Filmklassiker. Beschreibungen und Kommentare. Hrsg. von Thomas Koebner unter Mitarb. von Kerstin-Luise Neumann. 4 Bde. Stuttgart ⁴2002.

Filmregisseure. Biographien, Werkbeschreibungen, Filmographien. Hrsg. von Thomas Koebner. Stuttgart 1999.

Fischer Filmgeschichte. Hrsg. von Werner Faulstich und Helmut Korte. 5 Bde. Frankfurt a. M. 1990–95.

Fischetti, Renate: Das neue Kino – Acht Porträts von deutschen Regisseurinnen. Dülmen-Hiddingsel 1992.

Frauen in der Kunst. Hrsg. von Gislind Nabakowski, Helke Sander und Peter Gorsen. 2 Bde. Frankfurt a. M. 1980. (es. 952.)

Frieden, Sandra / Richard W. McCormick / Vibecke R. Petersen / Laurie Melissa Vogelsang (Hrsg.): Gender and the German Cinema. Feminist Interventions. Bd. 1: Gender and Representation in New German Cinema. Bd. 2: German Film History / German History on Film. Providence/London 1993.

Fritz Lang's *Metropolis*. Cinematic Visions of Technology and Fear. Hrsg. von Michael Minden und Holger Bachmann. Rochester (New York) 2000.

Gandert, Gero: Der Film der Weimarer Republik: Ein Handbuch der zeitgenössischen Kritik. Berlin 1993.

Gast, Wolfgang: Film und Literatur. Analysen, Materialien, Unterrichtsvorschläge: Grundbuch. Einführung in Begriffe und Methoden der Filmanalyse. Frankfurt a. M. 1993.

– Die verlorene Ehre der Katharina Blum. In: W. G. / Barbara Deiker: Film und Literatur. Analysen, Materialien, Unterrichtsvorschläge. Bd. 1. Frankfurt a. M. 1993. S. 46–75.

Gerhold, Hans: Kino der Blicke. Der französische Kriminalfilm. Frankfurt a. M. 1989. (Fischer Cinema. 4484.)

Gersch, Wolfgang: Film bei Brecht. München 1975.

Geser, Guntram: Fritz Lang: *Metropolis* und *Die Frau im Mond*. Zukunftsfilm und Zukunftstechnik in der Stabilisierungsphase der Weimarer Republik. Meitingen 1996.

Giesen, Rolf: Sagenhafte Welten. Der phantastische Film. München 1990. (Heyne Filmbibliothek. 140.)

Gleißende Schatten. Kamerapioniere der zwanziger Jahre. Berlin 1994.

Goergen, Jeanpaul: Walter Ruttmann. Eine Dokumentation. Berlin (o. J. [1986]).

Gottgetreu, Sabine: Der bewegliche Blick. Zum Paradigmenwechsel in der feministischen Filmtheorie. Frankfurt a. M. 1992.

Gramann, Karola [u. a.]: Lust und Elend: Das erotische Kino. München und Luzern 1980.

Gregor, Ulrich / Enno Patalas: Geschichte des modernen Films. Gütersloh 1965.

–· Geschichte des Films. 2 Bde. (1895–1960). Reinbek bei Hamburg 1976.

Gronemeyer, Andrea: Film. Köln 1998.

Güttinger, Fritz (Hrsg.): Kein Tag ohne Kino. Schriftsteller über den Stummfilm. Frankfurt a. M. 1984.

Hake, Sabine: German National Cinema. London / New York 2002.

Hayward, Susan: Key Concepts in Cinema Studies. London 1996.

Hickethier, Knut: Kinowahrnehmung, Kinorezeption, Film im Kopf. Feststellungen bei einem Durchgang durch theoretische Ansätze. In: Ästhetik und Kommunikation 11 (1980) S. 42, 75–90.

– Geschichte des deutschen Fernsehens. Stuttgart 1998.

– Film- und Fernsehanalyse. Stuttgart/Weimar ³2001.

– (Hrsg.): Filmgeschichte schreiben. Ansätze, Entwürfe und Methoden. Dokumentation der GFF-Tagung 1988. Berlin 1989.

– / Joachim Paech: Modelle der Film- und Fernsehanalyse. Stuttgart 1979.

– / Hartmut Winkler (Hrsg.): Filmwahrnehmung. Dokumentation der GFF-Tagung 1989. Berlin 1990.

Hoeppel, Rotraut: Psychologie des Filmerlebens. Frechen (Köln) 1986.

Hoffmann, Hilmar: Und die Fahne führt uns in die Ewigkeit. Propaganda im NS-Film. Bd. 1. Frankfurt a. M. 1988.

– 100 Jahre Film. Von Lumière bis Spielberg. Düsseldorf 1995.

Hoffstadt, Stephan: Black Cinema. Afroamerikanische Filmemacher der Gegenwart. Marburg 1995.

Hooks, Bell: Yearning. Race, Gender, and Cultural Politics. Boston 1990.

Huyssen, Andreas / Klaus R. Scherpe (Hrsg.): Postmoderne. Zeichen eines kulturellen Wandels. Reinbek bei Hamburg 1989. (re. 427.)

Insdorf, Annette: Indelible Shadows. Film and the Holocaust. New York ^{3}2003.

Jacobi, Reinhold / Herbert Janssen (Hrsg.): Filme in der DDR 1945–1986. Köln 1987.

Jacobsen, Wolfgang / Anton Kaes / Hans Helmut Prinzler (Hrsg.): Geschichte des deutschen Films. Stuttgart/Weimar 1993.

Jansen, Peter W. / Wolfram Schütte (Hrsg.): Filme in der DDR. München 1977. (Hanser Reihe Film. 13.)

Jung, Uli / Walter Schatzberg: Robert Wiene. Der *Caligari*-Regisseur. Berlin 1995.

Kaes, Anton: Deutschlandbilder. Die Wiederkehr der Geschichte als Film. München 1987.

– *M*. London ^{2}2001. (BFI Film Classics.)

Kamerastile im aktuellen Film. Berichte und Analysen. Hrsg. von Karl Prümm [u. a.] Marburg 1999.

Kanzog, Klaus: Einführung in die Filmphilologie. München 1991. (diskurs film. 4.)

– (Hrsg.): Der erotische Diskurs. Filmische Zeichen und Argumente. München 1989. (diskurs film. 3.)

Kaplan, E. Ann (Hrsg.): Psychoanalysis and Cinema. London 1990.

Kinder, Ralf / Thomas Wieck: Zum Schreien komisch, zum Heulen schön. Die Macht des Filmgenres. Bergisch Gladbach 2001.

Kino-Debatte. Texte zum Verhältnis von Literatur und Film 1909–1929. Hrsg. von Anton Kaes. Tübingen 1978. (dtv WR. 4307.)

Klippel, Heike: Gedächtnis und Kino. Basel / Frankfurt a. M. 1997.

Knight, Julia: Frauen und der Neue Deutsche Film. Marburg 1995.

Knilli, Friedrich / Erwin Reiss: Einführung in die Film- und Fernsehanalyse. Ein ABC für Zuschauer. Steinbach 1971.

– / – (Hrsg.): Semiotik des Films. München 1971.

Koch, Gertrud: Was ich erbeute sind Bilder. Zum Diskurs der Geschlechter im Film. Basel / Frankfurt a. M. 1989.

Köhn, Eckhardt: Straßenrausch. Flanerie und kleine Form. Versuch zur Literaturgeschichte des Flaneurs bis 1933. Berlin 1989.

Kolker, Robert Phillip / Peter Beicken: The Films of Wim Wenders. Cinema as Vision and Desire. Cambridge 1993.

Korte, Helmut: Einführung in die systematische Filmanalyse. Berlin ²2001.

– (Hrsg.): Systematische Filmanalyse in der Praxis. Braunschweig 1987.

– (Hrsg.): Film und Realität in der Weimarer Republik. Mit Analysen von *Kuhle Wampe* und *Mutter Krausens Fahrt ins Glück*. München 1978.

– / Werner Faulstich (Hrsg.): Filmanalyse interdisziplinär. Göttingen 1989.

Kracauer, Siegfried: Kino. Essays, Studien, Glossen zum Film. Frankfurt a. M. 1974. (st. 126.)

– Von Caligari zu Hitler. Eine psychologische Geschichte des deutschen Films. Frankfurt a. M. 1984. (stw. 479.)

– Theorie des Films. Die Errettung der äußeren Wirklichkeit. Frankfurt a. M. 1985. (stw. 546.)

– Der verbotene Blick. Beobachtungen, Analysen, Kritiken. Leipzig 1992. (RBL. 1437.)

Kreimeier, Klaus: Kino im Kopf. 1980.

– Die Ufa-Story. Geschichte eines Filmkonzerns. München 1992.

– (Hrsg.): Friedrich Wilhelm Murnau 1888–1988. Bielefeld 1988. (Ausstellungskatalog.)

– (Hrsg.): Die Metaphysik des Dekors. Raum, Architektur und Licht im klassischen deutschen Stummfilm. Marburg 1994.

Kuchenbuch, Thomas: Film Analyse. Theorien, Modelle, Kritik. Köln 1978.

Kuhn, Annette: The Women's Companion to International Film. Berkeley / Los Angeles 1994.

Kuzniar, Alice: The Queer German Cinema. Stanford (California) 2000.

Läufer, Elisabeth: Skeptiker des Lichts. Douglas Sirk und seine Filme. Frankfurt a. M. 1987. (Fischer Cinema. 4468.)

Ledig, Elfriede (Hrsg.): Der Stummfilm. Konstruktion und Rekonstruktion. München 1988. (diskurs film. 2.)

Leiser, Erwin: »Deutschland erwache.« Propaganda im Film des Dritten Reiches. Reinbek bei Hamburg ²1989. (rororo. 12598.)

Limmer, Wolfgang: Rainer Werner Fassbinder. Filmemacher. Reinbek bei Hamburg. 1981.

Lohmeier, Anke-Marie: Hermeneutische Theorie des Films. Tübingen 1996.

Maas, Georg / Achim Schudack: Musik und Film – Filmmusik.

Informationen und Modelle für die Unterrichtspraxis. Mainz 1993.

Majer O'Sickey, Ingeborg / Ingeborg von Zadow: Triangulated Visions. Women in Recent German Cinema. Albany 1998.

Marci-Boehnke, Gudrun: Max Frisch / Volker Schlöndorff: *Homo faber*. In: Film und Literatur 4. Frankfurt a. M. 1995. S. 34–62.

– »Wie hat Euch denn der Film gefallen?« – Medienrezeption in der Schule. In: Hans Dieter Erlinger (Hrsg.): Neue Medien. Edutainment. Medienkompetenz. Deutschunterricht im Wandel. München 1997. S. 67–91.

Marsiske, Hans-Arthur (Hrsg.): Zeitmaschine Kino. Darstellungen von Geschichte im Film. Marburg 1992.

Merschmann, Helmut: Tim Burton. Berlin 2000.

Metropolis. Ein filmisches Laboratorium der modernen Architektur. Hrsg. von Wolfgang Jacobsen und Werner Sudendorf. Stuttgart/London 2000.

Metz, Christian: Semiologie des Films. München 1972.

– Sprache und Film. Frankfurt a. M. 1973.

Metzlers Film Lexikon. Hrsg. von Michael Töteberg. Stuttgart 1995.

Meyer, Corinna: Der Prozeß des Filmverstehens. Ein Vergleich der Theorien von David Bordwell und Peter Wuss. Alfeld 1996.

Mikunda, Christian: KINOspüren. Strategien der emotionalen Filmgestaltung. München 1986.

Möbius, Hanno / Guntram Vogt: Drehort Stadt. Das Thema »Großstadt« im deutschen Film. Marburg 1990.

Möhrmann, Renate: Die Frau mit der Kamera. Filmemacherinnen in der Bundesrepublik Deutschland. Situation, Perspektive. Zehn exemplarische Lebensläufe. München 1980.

– (Hrsg.): Die Schauspielerin – Zur Kulturgeschichte der weiblichen Bühnenkunst. Frankfurt a. M. 2000.

Monaco, James: Film verstehen. Kunst, Technik, Sprache, Geschichte und Theorie des Films und der Medien. Mit einer Einführung in Multimedia. Reinbek bei Hamburg 1995. ³2001.

Müller, Corinna: Frühe deutsche Kinematographie. Formale, wirtschaftliche und kulturelle Entwicklungen. Stuttgart/Weimar 1994.

Mulvey, Laura: Visual and other Pleasures. London 1989.

Murnau, F. W.: *Nosferatu*. München 1987. (Kulturreferat.)

Friedrich Wilhelm Murnau. Ein Melancholiker des Lichts. Hrsg. von Hans Helmut Prinzler. Berlin 2003.

Nau, Peter: Zur Kritik des Politischen Films. Sechs analysierende Beschreibungen und ein Vorwort »Über Filmkritik«. Köln 1978.

Netenjakob, Egon [u.a.] (Hrsg.): Staudte. Berlin 1991.

Nosferatu. Eine Symphonie des Grauens. Hrsg. von Loy Arnold, Michael Farin und Hans Schmid. München 2000. (Chronik, viragierte Bildsequenzen, Materialien.)

Nowell-Smith, Geoffrey (Hrsg.): Geschichte des internationalen Films. Aus dem Engl. von Hans-Michael Bock [u. a.]. Stuttgart 1998.

Paech, Anne: Kino zwischen Stadt und Land. Marburg 1985.

– / Joachim Paech: Menschen im Kino. Film und Literatur erzählen. Stuttgart 2000.

Paech, Joachim: Film- und Fernsehsprache. Frankfurt a.M./ Berlin / München ²1978.

– Literatur und Film. Stuttgart ²1997. (Sammlung Metzler. 235.)

Patalas, Enno: *Metropolis* in/aus Trümmern. Eine Filmgeschichte. Berlin 2001. (Premierenfassung, Fotos, Varianten, Materialien.)

Pflaum, Hans Günther: Werner Herzog. München 1979. (Hanser Reihe Film. 22.)

– / Rainer Werner Fassbinder: Das bißchen Realität, das ich brauche. Wie Filme entstehen. München 1976.

Prinzler, Hans Helmut: Chronik des deutschen Films 1895–1994. Stuttgart/Weimar 1995.

Prodolliet, Ernest: Faust im Kino. Die Geschichte des Faustfilms von den Anfängen bis in die Gegenwart. Freiburg (Schweiz) 1978.

Prokop, Dieter: Soziologie des Films. Neuwied und Berlin 1970.

– Hollywood. Stars. Geschichte. Geschäfte. Köln 1988.

– (Hrsg.): Materialien zur Theorie des Films. Ästhetik, Soziologie, Politik. München 1971.

Prolog vor dem Film. Nachdenken über ein neues Medium 1909–1914. Hrsg. und kommentiert von Jörg Schweinitz. Leipzig 1992. (RBL. 1432.)

Recherche: Film. Quellen und Methoden der Filmforschung. Hrsg. von Hans-Michael Bock und Wolfgang Jacobsen. München 1997. (edition text+kritik, CineGraph.)

Reclams elektronisches Filmlexikon. Stuttgart 2001.

Reclams Filmführer. Hrsg. von Dieter Krusche. Stuttgart [11]2000.

Reclams Sachlexikon des Films. Hrsg. von Thomas Koebner. Stuttgart 2002.

Rentschler, Eric: The Ministry of Illusion. Nazi Cinema and its Afterlife. Cambridge (Mass.) / London 1996.

Riecke, Christiane: Feministische Filmtheorie in der Bundesrepublik Deutschland. Frankfurt a. M. 1998.

Robinson, David: *Das Cabinet des Dr. Caligari*. London 1997. (BFI Film Classics.)

rororo Filmlexikon. Hrsg. von Liz-Anne Bawden. 6 Bde. Reinbek bei Hamburg 1983.

Rost, Andreas (Hrsg.): Der schöne Schein der Künstlichkeit. Frankfurt a. M. 1995.

– (Hrsg.): Der zweite Atem des Kinos. Frankfurt a. M. 1996.

– (Hrsg.): Zeit, Schnitt, Raum. Frankfurt a. M. 1997.

Rother, Rainer: Sachlexikon Film. Reinbek bei Hamburg 1986. (rororo. 16515.)

– (Hrsg.): Mythen der Nationen: Völker im Film. München/ Berlin 1998.

Salber, Linda: Marlene Dietrich. Reinbek bei Hamburg 2001. (rm. 50436.)

Salje, Gunther: Film, Fernsehen, Psychoanalyse. Frankfurt a. M. / New York 1980.

Sander, Gabriele (Hrsg.): Alfred Döblin: *Berlin Alexanderplatz*. Stuttgart 1988. (Erläuterungen und Dokumente. 16009.)

Schäfer, Horst / Dieter Baacke: Leben wie im Kino. Jugendkultur und Film. Frankfurt a. M. 1994. (Fischer Cinema. 10048.)

Schanze, Helmut (Hrsg.): Handbuch der Mediengeschichte. Stuttgart 2001.

Schenk, Irmbert (Hrsg.): Filmkritik. Bestandsaufnahmen und Perspektiven. Marburg 1998.

Schivelbusch, Wolfgang: Geschichte der Eisenbahnreise. Zur Industrialisierung von Raum und Zeit im 19. Jahrhundert. München 1987.

Schlemmer, Gottfried (Hrsg.): Avantgardistischer Film 1951–1971. München 1973.

Schlüpmann, Heide: Unheimlichkeit des Blicks. Das Drama des frühen deutschen Kinos. Basel / Frankfurt a. M. 1990.

Schneider, Roland: Histoire du Cinéma Allemand. Paris 1990.

Schnell, Ralf: Medienästhetik. Zur Geschichte und Theorie audiovisueller Wahrnehmungsformen. Stuttgart 2000.

- (Hrsg.): Gewalt im Film. 1987.
Schönemann, Heide: Fritz Lang. Filmbilder, Vorbilder. Berlin 1992. (Ausstellungskatalog Filmmuseum Potsdam.)
Schröder, Nicolaus: Filmindustrie. Reinbek bei Hamburg 1995. (rororo special.)
- 50 Klassiker Film. Hildesheim 2000.
Schwarz, Alexander (Hrsg.): Das Drehbuch. Geschichte, Theorie, Praxis. München 1992. (diskurs film. 5.)
Seeßlen, Georg: Der Asphalt-Dschungel. Geschichte und Mythologie des Gangster-Films. Reinbek bei Hamburg 1980. (rororo. 7316.)
- Mord im Kino. Geschichte und Mythologie des Detektiv-Films. Reinbek bei Hamburg 1981. (rororo. 7396.)
- Kino der Angst. Marburg 1995. (Grundlagen des populären Films.)
- Abenteuer. Geschichte und Mythologie des Abenteuerfilms. Marburg 1996. (Grundlagen des populären Films.)
- Erotik. Ästhetik des erotischen Films. Marburg 1996. (Grundlagen des populären Films.)
- Detektive. Mord im Kino. Marburg 1998. (Grundlagen des populären Films.)
- Copland. Geschichte und Mythologie des Polizeifilms. Marburg 1999. (Grundlagen des populären Films.)
Segeberg, Harro (Hrsg.): Die Mobilisierung des Sehens. Zur Vor- und Frühgeschichte des Films in der Literatur und Kunst. Mediengeschichte des Films. Bd. 1. München 1996.
- Die Modellierung des Kinofilms. Zur Geschichte des Kinoprogramms zwischen Kurzfilm und Langfilm (1905/06–1918). Mediengeschichte des Films. Bd. 2. Stuttgart 1998.
- Die Perfektionierung des Scheins. Das Kino der Weimarer Republik im Kontext der Künste. Mediengeschichte des Films. Bd. 3. München 2000.
Sequenz no. 2. Goethe Institut Nancy 1989. (Film und Pädagogik.)
Silbermann, Alphons / Michael Schaff / Gerhard Adam: Filmanalyse. Grundlagen, Didaktik. München 1980.
Sontag, Susan: Im Zeichen des Saturn. Essays. München 2003.
Stiglegger, Marcus (Hrsg.): Splitter im Gewebe. Filmemacher zwischen Autorenfilm und Mainstreamkino. Mainz 2000.
Ströhl, Andreas [u.a.] (Hrsg.): Johann Wolfgang von Goethe. Literaturverfilmungen. München/Bonn 1999.

Studlar, Gaylyn: Schaulust und masochistische Ästhetik. In: Frauen und Film 39 (1985) S. 15–39.

Sudendorf, Werner: Marlene Dietrich. München 2001. (dtv. 31053.)

Texte zur Poetik des Films. Hrsg. von Rudolf Denk. Stuttgart 1978. (RUB. 9541.)

Tichy, Wolfram: Chaplin. Reinbek bei Hamburg 1974. (rm. 219.)

Töteberg, Michael: Fritz Lang. Reinbek bei Hamburg 1985. (rm. 339.)

– Filmstadt Hamburg. Von Emil Jannings bis Wim Wenders. Kinogeschichte(n) einer Großstadt. Hamburg 1990.

– Rainer Werner Fassbinder. Reinbek bei Hamburg 2002. (rm. 50458.)

– (Hrsg.): Szenenwechsel. Momentaufnahmen des jungen deutschen Films. Reinbek bei Hamburg 1999.

Tykwer, Tom: Lola rennt. Reinbek bei Hamburg 1998. (rororo. 22445.)

Vana, Gerhard: *Metropolis.* Modell und Mimesis. Berlin 2001.

Vogt, Guntram: Die Stadt im Kino. Deutsche Spielfilme 1900–2000. Marburg 2001.

Weihsmann, Helmut: Gebaute Illusionen. Architektur im Film. Wien 1988.

Wende, Waltraud »Wara« (Hrsg.): Geschichte im Film. Mediale Inszenierungen des Holocaust und kulturelles Gedächtnis. Stuttgart/Weimar 2002.

Werner, Paul: Film Noir und Neo-Noir. München 2000.

Williams, Linda: Hard Core. Macht, Lust und die Traditionen des pornographischen Films. Frankfurt a. M. 1995.

Winter, Rainer: Filmsoziologie. Eine Einführung in das Verhältnis von Film, Kultur und Gesellschaft. München 1992.

Wißkirchen, Hans (Hrsg.): Mein Kopf und die Beine von Marlene Dietrich. Heinrich Manns *Professor Unrat* und *Der blaue Engel.* Lübeck 1996. (Ausstellungskatalog.)

Witte, Karsten (Hrsg.): Theorie des Kinos. Frankfurt a. M. 1972. (es. 557.)

– Lachende Erben, Toller Tag. Filmkomödie im Dritten Reich. Berlin 1995.

Wulff, Hans Jürgen: Psychiatrie im Film. Münster 1985.

Wuss, Peter: Kunstwert des Films und Massencharakter des Mediums. Konspekte zu Geschichte der Theorie des Spielfilms. Berlin 1990.

Zeit, Medien, Wahrnehmung. Hrsg. von Mike Sandbothe und Walter Ch. Zimmerli. Darmstadt 1994.

Zeul, Mechthild: Carmen & Co. Weiblichkeit und Sexualität im Film. Stuttgart 1997.

Zischler, Hanns: Kafka geht ins Kino. Reinbek bei Hamburg 1996.

Abbildungsnachweis

RFF   Reclams Filmführer. Hrsg. von Dieter Krusche unter
      Mitarb. von Jürgen Labenski und Josef Nagel. Stuttgart:
      Reclam ¹¹2000.
FK   Filmklassiker. 4 Bde. Hrsg. von Thomas Koebner unter
      Mitarb. von Kerstin-Luise Neumann. Stuttgart: Reclam
      1995.
RSF   Reclams Sachlexikon des Films. Hrsg. von Thomas Koebner.
      Stuttgart: Reclam 2002.

Umschlagabbildung: Charles Chaplin, Jackie Coogan in: The Kid.
Aus: RFF, S. 358.

 1 Hanns Zischler: Kafka geht ins Kino. Reinbek bei Hamburg:
   Rowohlt Taschenbuch Verlag 1998. S. 12 f.
 2 Fischer Filmgeschichte. Bd. 1: 1895–1924. Hrsg. von Werner
   Faulstich und Helmut Korte. Frankfurt a. M.: Fischer Taschenbuch Verlag 1994. S. 175.
 3 RSF, S. 161.
 4 Das Jahr 1945 und das Kino. Berlin: Stiftung Deutsche Kinemathek 1995. S. 164.
 5,6 Diskurs Film. Hrsg. von Alexander Schwarz. München:
   Diskurs Film Verlag Schaudig & Ledig 1992. S. 156.
 7 F. W. Murnau: Nosferatu. München: Kulturreferat 1987. S. 9.
 8 Andrea Gronemeyer: Schnellkurs Film. Köln: Dumont 1998.
   S. 99.
 9 Anke Marie Lohmeier: Hermeneutische Theorie des Films.
   Tübingen: Niemeyer 1996. S. 61.
10 RFF, S. 742.
11 Sergej Eisenstein's *The Battleship Potemkin*. Hrsg. von Herbert
   Marshall. New York: Avon Books 1978. S. 374.
12 RFF, S. 122.
13 David Bordwell / Noel Carroll (Hrsg.): Post-Theory. Recon-
   structing Film Studies. Madison (Wisc.) / London: University
   of Wisconsin Press 1996. S. 88.
14,15 Hans-Joachim Schlegel (Hrsg.): Sergej Eisenstein. Schriften 2: Panzerkreuzer Potemkin. München: Hanser 1973. (Reihe
   Hanser 135.) S. 263 f.
16 RSF, S. 30.

17 RSF, S. 597.
18 Klaus Kreimeier (Hrsg.): Die Metaphysik des Dekors. Raum, Architektur und Licht im klassischen deutschen Stummfilm. Marburg: Schüren 1994. S. 92.
19 Robert Fischer (Hrsg.): Das Cabinet des Dr. Caligari. Stuttgart: Focus FilmTexte 1985. S. 76.
20 Thomas Elsaesser: Metropolis. Der Filmklassiker von Fritz Lang. Hamburg/Wien: Europa Verlag 2000. S. 91.
21 RFF, S. 112.
22,23 Werner Herzog: Aguirre. Der Zorn Gottes. Zwei Filmbilder (Videoprints).
24,25 F. W. Murnau: Nosferatu. München: Kulturreferat 1987. S. 10, 12.
26,27 David Bordwell / Kristin Thompson: Filmart. New York: McGraw-Hill ⁴1993. S. 265.
28 FK 3, S. 564.
29 Marlene Dietrich. Hrsg. von der Kunst- und Ausstellungshalle der Bundesrepublik Deutschland. Ausstellungskatalog. Bonn 1985. S. 128.
30 Frédéric Mitterand (Hrsg.): L'Ange Bleu. Paris: Editions Plume 1992. S. 105.
31 Der blaue Engel. Filmbild (Videoprint).
32 Frédéric Mitterand (Hrsg.): L'Ange Bleu. Paris: Editions Plume 1992. S. 93.
33 Thomas Elsaesser: Metropolis. Der Filmklassiker von Fritz Lang. Hamburg/Wien: Europa Verlag 2000. S. 68.
34 Metropolis. Filmprogramm 44. Stuttgart: Uwe Wiedleroither. April ²1993.
35 Ronald Hayman: Fassbinder. Filmmaker. New York: Simon & Schuster 1984. S. 103.
36 RFF, S. 513.
37 Robert Fischer (Hrsg.): Das Cabinet des Dr. Caligari. Stuttgart: Focus FilmTexte 1985. S. 47.
38 Friedrich Wilhelm Murnau 1888–1988. Ausstellungskatalog. Hrsg. von Klaus Kreimeier. Bielefeld: Bielefelder Verlags-Anstalt 1988. S. 70.
39 Geschichte des deutschen Films. Hrsg. von Wolfgang Jacobsen [u. a.]. Stuttgart/Weimar: Metzler 1993. S. 279.
40 L'avant scène cinema 375/376, Nov./Dez. 1988. S. 10.
41 Wolfgang Jacobsen / Werner Sudendorf (Hrsg.): Metropolis. Stuttgart/London: Edition A. Menges 2000. S. 156.

42 Mein Kopf und die Beine von Marlene Dietrich. Ausstellungskatalog. Hrsg. von Hans Wißkirchen. Lübeck: Dräger 1996. (Stiftung Deutsche Kinemathek.) S. 124.

43 Joyce Rheuban (Hrsg.): The Marriage of Maria Braun. New Brunswick (New Jersey): Rutgers University Press 1986. S. 75.

44 RFF, S. 447; RFF, S. 307.

45 RFF, S. 111; FK 1, S. 455.

46 Werner Herzog. München: Hanser 1979. (Reihe Film 22.) S. 52.

47 FK 3, S. 181.

48 FK 1, S. 229.

49 RFF, S. 410.

50 FK 1, S. 21.

51 Robert Fischer (Hrsg.): Das Cabinet des Dr. Caligari. Stuttgart: Focus FilmTexte 1985. (Umschlagbild.)

52 Film-Photos wie noch nie. Gießen: Kindt & Bucher 1929. Nachdruck: Köln: König 1978. S. 173.

53 F. W. Murnau: Nosferatu. München: Kulturreferat 1987. S. 12.

54 FK 1, S. 71.

55, 56 Friedrich Wilhelm Murnau 1888–1988. Ausstellungskatalog. Hrsg. von Klaus Kreimeier. Bielefeld: Bielefelder Verlags-Anstalt 1988. S. 70.

57 Wolfgang Jacobsen / Werner Sudendorf (Hrsg.): Metropolis. Stuttgart/London: Edition A. Menges 2000. S. 120.

58 Metropolis. Un film de Fritz Lang. Images d'un tournage. Paris: La Cinémathéque Française 1985. S. 61.

59 Hanno Möbius / Guntram Vogt: Drehort Stadt. Das Thema »Großstadt« im deutschen Film. Marburg: Hitzeroth 1990. S. 22.

60 Wide Angle. A Film Quarterly. Vol. 12. Nr. 1 (1990) S. 21.

61 RFF, S. 420.

62 James Monaco: Film Verstehen. Reinbek bei Hamburg ³2001. S. 402.

63 The Trial. A Film By Orson Welles. New York: Simon & Schuster 1963. (Modern Film Scripts.) S. 80.

64 Peter Beicken: Franz Kafka. Der Process. Interpretation. München: Oldenbourg ²1999. S. 168.

65 Der Spiegel. Heft 12 (1991) S. 241.

66 Film und Literatur 4. Frankfurt a. M.: Diesterweg 1995. S. 49.

Der Verlag dankt allen Bildrechteinhabern, soweit sie ermittelt wurden, für die Reproduktionsgenehmigung und ist bereit, nach Aufforderung weitere rechtmäßige Ansprüche abzugelten.